HANS-OLOF LUNDMARK

KRISTALLEN
OCH FRIHETEN

EN BOK OM GLASKONSTNÄREN
MATS JONASSON

MÄNGEN PRODUKTION

Omslagsdesign: Bengt Hellquist,
Foto omslagets framsida: Per Olof Pettersson
Foto omslagets baksida: Johan Jeppsson
Tryckt 1996 hos Åkessons Tryckeri AB i Emmaboda
© Mängen Produktion
Box 491
351 06 Växjö
ISBN 91-97 2212-2-8

Förord

Olof Nordström – född och uppvuxen i det småländska Glasriket – är docent i kulturgeografi vid universitetet i Lund. Han har skrivit ett tjugotal arbeten om svenskt glas.

Glasrikets historia handlar om illusioner och djärva drömmar, men också om besvikelse och grusade förhoppningar. Det gäller i allra högsta grad det mer än hundra år gamla glasbruket i Målerås, som i samband med "Kronakraschen" 1976 såg ut att definitivt gå i graven. Kosta Boda tog över temporärt, kanske främst för att utnyttja den unge gravören Mats Jonassons kollektion av djurreliefer, ett potentiellt guldägg.

Mats trodde obetingat på Målerås, beläget vid karga Gråstensmon, en trakt som han älskar, en natur som ger honom inspiration. Med en obetvinglig vilja och med hjälp av några likasinnade tog han över det dödsmärkta bruket. 1981 var Målerås åter ett levande, fristående företag, som i stort sett ägdes av människor från trakten.

Framgångarna lät inte vänta på sig. Mats Jonassons djurreliefer, framställda med en utomordentligt finslipad teknik i kombination med en väl utvecklad känsla för liv och natur, erövrade inte bara den svenska marknaden utan även den globala. Ett vaknande intresse för miljö, fauna och flora bidrog till framgångarna. Mats måste vid olika tillfällen lämna sin kära Gråstensmo för att ta emot utmärkelser. Produktionen vidgades, antalet anställda ökade och Målerås blev ett bruk både på den nationella- och internationella kartan. Basen för framgångarna var Mats Jonassons förmåga att återge levande gestalter i sina reliefer.

Hans-Olof Lundmark har i sin bok inte bara sökt fånga gravören och konstnären Mats Jonasson. Han har också skildrat människan Mats Jonasson, från barndomen då han fängslades av Gråstensmons karga men kraftfulla natur, fram till hans position i dag som naturens och livets tolkare i en materia, som ibland kan synas kall och motsträvig, men som även rymmer de rikaste möjligheter.

Olof Nordström

Olof Nordström

*J*ag är född och uppvuxen ett stenkast från en glashytta med den dunkla skogen som granne. Där lärde jag mig i unga år att gravera glas. Denna materia har således blivit ett spännande uttrycksmedel för mig.

Naturen har varit inspirationskälla och idégivare till många gravyrer på skålar och fat. Jag hoppas att dessa objekt ger påminnelser om vad naturen har att erbjuda och gör betraktaren medveten om vad vi människor riskerar att förstöra.

Jag är ofta ute i skog och mark, ibland även för att teckna och måla. Motiven, som pennan försöker att fånga, ger mina ögon mycket mer än bilden på skissblocket. Man får trösta sig med att kritiskt granskande ögon är bildskaparens bäste vän.

Tänk! Ett till synes oansenligt grässtrå, som vi ofta trampar på, är sin anspråkslöshet till trots en mästerlig skulptur.

Plocka ett strå och lyft upp det mot kvällshimmelen. Låt ögonen konstatera:

Naturen med sin variation i form och färg är som bildskapare oöverträffad!

Mats Jonasson

Teckning: Mats Jonasson

Robin Hood i Målerås

Många som träffar Mats Jonasson i Målerås tänker på Robin Hood. Jag själv gör det och andra gör det också.
Det är inte alls egendomligt!
Redan hans utseende är en god förklaring.
Men ännu mera hans sätt att leva.
De som vet vad som hände i Målerås under 70- och 80-talen, känner till Mats Jonassons kamp för ett fritt och oberoende glasbruk där.

Elaka utsocknes fogdar har ofta kommit till Målerås. De har härjat, skövlat och plundrat. Befolkningen har lidit svårt.
Men Mats kunde ingen kuva!

Han samlade en liten trogen skara, som tog upp kampen mot de mäktiga och listiga. Och vann till slut – med en hel bygd som hejarklack – en lika bejublad som överraskande seger.
Precis som Robin Hood en gång gjorde mot Prins John.

Många direktörer på Kosta glasbruk blev ordentligt lurade på konfekten efter Robin Hoods lika överraskande som tjurigt envisa gerillametoder. Precis som sheriffen av Nottingham blev, när han skulle plåga allmogen.
Och pilar började susa från trädkronorna!

Ledningen på Orrefors glasbruk blev också – mitt framför sin egen näsa – snuvad på ett präktigt byte.
Precis som prins John blev, när han döptes om till Johan utan land.

Mats Jonasson, Gråstensmons Robin Hood.
Foto: Roland Bergman.

Robin Hood blev världskändis. Det har Mats också blivit. I varje fall nästan.
Hans namn syns i skyltfönster på de fina gatorna över hela världen. Och på flygplatser över hela världen också.
Förmodligen är Mats Jonasson från Målerås just nu en av Sveriges internationellt mest exponerade glasformgivare.

Kristallrelief elefant av Mats Jonasson. Foto: Per-Olof Pettersson.

Hans elefanter säljs i Alaska. Och isbjörnarna säljs vid ekvatorn!

Den ädle rövaren Hood lär aldrig ha lämnat sin älskade och vackra Sherwood-skog i det engelska grevskapet Nottingham.
Mats har nästan aldrig lämnat sitt älskade Målerås på karga Gråstensmon i Hälleberga socken.

Någon enstaka gång har han rest till Stockholm, men då för att hämta ett pris eller hedras med en utmärkelse. Absolut aldrig frivilligt eller av egen reslust!
Mats har heller aldrig varit i utlandet. Att åka till Kalmar eller Växjö på sex mils avstånd är väldigt långt.
Skorstenen på Målerås glasbruk syns ju inte därifrån!

Mats är ingen festande hålligångare. Han lever mycket sunt.
– Man behöver inte krångla till det för att trivas, säger han.

Kristallrelief isbjörn av Mats Jonasson. Foto: Per-Olof Pettersson.

Glasförsäljande agenter från hela världen tar med sig whisky till Målerås.
"For your inspiration" säger de till Mats och lämnar över sina presenter.
Han tackar och bär hem pavorna till skafferiet.
Mats är född nykterist, utan att därför fanatiskt försöka frälsa andra!

Han trivs i skogen. Och han njuter av den en stund varje dag. Året runt!
– Jag är ju ett däggdjur, förklarar Mats. Och trivs alltså bäst i den miljö jag har vuxit upp i.

Han spelar dessutom flöjt en stund varje dag. Också det året runt!

Robin Hood var snäll mot djuren. Det är Mats också.
Men ibland skrämmer han dem!
När en älgko med sina två årskalvar sommaren 1981 flyttade in bland husen i Målerås samhälle, blev befolkningen först glad.
Och barnen nyfiket förtjusta!
Men när vitkål, brysselkål, sallad och broccoli började försvinna ur trädgårdarna om

"Älgbrazza", till minne av den dramatiska sommaren 1981. Teckning: Mats Jonasson.

nätterna, förändrades stämningsläget radikalt.
Blod skulle flyta!

Mats räddade situationen. Han gav en nattlig
utomhuskonsert med kraftigt råblås på sin
barytonsax.
Den hördes över hela samhället. Ingen lär
glömma den!
I varje fall inte älgarna. De återvände snabbt
till skogen. Och stannade där.
Livet ut!
Om detta skrevs det i många tidningar. Även i
Expressen, landets största!

Mot slutet av 1100-talet fyllde Robin Hood
femtio år. Hur hade han det då?
Det vet man inte.

Mats har också fyllt femtio. Den 20 mars 1995
närmare bestämt.
Han har det bra!
Snäll fru och trevliga barn. Villa, bil och som-
marstuga. Dessutom äger han ett glasbruk.
Ett av Smålands mest lönsamma till och med!
Mats har hittills dragit livets vinstlott. Den
allra högsta på hela Gråstensmon.
Sägs det!

Fattigt och farligt

I så fall har Mats haft en sällsynt stor portion tur. Det har aldrig funnits många högvinster att sikta in sig på i lika karga som fattiga Småland.

Och värst var det naturligtvis förr i tiden. Då var målet för dagen snarare att överleva.

På och omkring Gråstensmon var den uppgiften inte lätt. Geologerna kallar området för ett dödismoränlandskap!

Inte dödis-moränlandskap, Gud ske lov, utan död-is-moränlandskap.

Gråstensmon har alltså med istiden att göra. Eller snarare dess avslutning, då ett cirka tre kilometer tjockt lager is smälte bort.

Det skedde för så där tolv tusen år sedan. Väldiga krafter satte igång väldiga rörelser i det lika väldiga istäcket.

Då hände det att mindre block – kanske bara femtio meter höga och några mil i omkrets – lossnade. På dessa små bitar verkade varken väldiga krafter eller väldiga rörelser.

Därav namnet dödis.

Allt geologiskt material i dessa döda isklumpar - block, stenar och grus - hamnade efter smältningen ofta på ett enda ställe. Hela fält kan vara täckta av block eller "skärv", som befolkningen runt Gråstensmon kallar dem. Vegetationen är definitivt inte frodig. Ljung, magra barrträd, en och annan asp och björk gör sina försök att tränga in bland de grå stenarna. Mossor och lavar lyckas bättre. Allt detta bildar ett landskap, som gillas av få. Och som Gud verkar ha glömt!

Mörka Småland, fattigt och farligt.
Foto: Mats Jonasson.

I "Beskrifning till kartbladet Lenhofda" konstaterar N Holst år 1893 således:

I allmänhet äro härvarande krossgrusmarker mycket blockhöljda och den så kallade Gråstensmon i norra delarna af Hälleberga och Ekeberga socknar är i detta hänseende känd som särdeles oländig.

Gråstensmon vid den så kallade Rövarkulan. Här utbreder sig en vild skogs- och stenöken, som nästan saknar motstycke i hela Sydsverige. Foto: Mats Jonasson.

Den här beskrivningen får starkt stöd av en skarpögd nutida iakttagare. Författaren och konstnären Björn Gidstam från gården Aramo i Urshult har bland annat skrivit boken "Det gamla landet" med underrubriken "Strövtåg i Värend".

Ett kapitel heter "I mörkaste Småland". Det börjar så här:

Jag har flera gånger funderat över uttrycket i mörkaste Småland. Det är inte äldre än från 1893, då det präglades som ett politiskt slagord. Någon geografisk plats inom Värend har jag inte hittat som direkt svarar mot dess bety-

delse, även om tankarna mer eller mindre omedvetet far till Gråstensmon i Hälleberga socken. Här utbreder sig sedan urminnes tider en vild skogs- och stenöken, som i fråga om ödslighet nästan saknar motstycke i hela Sydsverige.

Inget odlingslandskap, således. Men ett kärt tillhåll för rövare och banditer. Gråstensmon och trakterna där omkring var länge livsfarliga!

J A Göth har i sin bok "Bergsrådet i Lessebo" gjort en mycket livfull beskrivning av alla fasansfulla faror, som i början av 1800-talet

Endast några hundra meter från Rövarkulan visar Långegöl sin klara spegel. Kanske detta vatten åtminstone gav rövarna lekamlig rening? Foto: Mats Jonasson.

lurade på en färd från Klavre-trakten till Kalmar. Kapitlet heter "En Kalmarresa på Bergsrådets tid".

Inne i skogen, innan karavanen kom fram till Villköl, var ett stort träd fallet över vägen. Sammel stannade sin häst och ropade på ett par bönder att komma fram och se efter, hur det var fatt. När de gick förbi Sammel, viskade han till dem:
— Si opp där framme! Det är nog folk bland riset på vägen.
I det samma small ett skott, och den ene av bönderna skrek till:
— Aj, han sköt mig!

Den här gången gick det bra för foran med bönder från Klavreström, som skulle till Kalmar. Sammel i Ängelt, Zakris i Pelås, Sven i Plåta och övriga starka karlar från Uppvidinge visste hur man skulle ta hand om lömska stråtrövare och tattare.

Till länsman, som av en händelse befann sig i Villköl, överlämnades en fin fångst bestående av ökände tattaren Vimmerby-Hindrik och hans elaka kärring samt den inte mindre kände Skorva-Kristian från Hultsjö.Dessa fördes vidare till Kalmar, där de så småningom fick sina välförtjänta och enligt den tidens sed inte såvärst humana straff.

Rallarna tämjde denna vilda bygd, men många råkade själva illa ut. En av männen på bilden är Jonas Nilsson, som blev ihjälslagen på krönet av Tomtebobacken vid nyårstiden 1898-99. Med på bilden finns också de två kollegor, som senare dömdes för mordet!

Liksom i Vilda Västern tämjdes denna lika vilda som fattiga och farliga bygd av järnvägen. 1876 var sträckan Nybro – Sävsjöström med Målerås som mellanstation klar.
1 april 1899 invigdes Lessebo-Kosta Jernvegs utsträckning tvärs över Gråstensmon till Målerås.
Tal hölls av landshövding C E von Oelreich från Växjö. Målerås hörde till Kronobergs län på den tiden.
Stiftsstadens stora tidning, Smålandsposten, hade utsänd medarbetare på plats.
I hans rapport kunde man bland annat läsa:

Den trakt banan genomlöper gör ett föga gäst-vänligt intryck: skog och kärr över hela linjen!

Visst finns likheten med Vilda Västern! Så här såg hotellet i Målerås ut vid sekelskiftet. Till denna saloon kom många ridande på häst. Och för rallargängen var detta naturligtvis ett kärt tillhåll, när pengarna efter en veckas hårt slit började bränna i fickorna.

Järnvägen har lagts ner, men trakten är sig lik. Dock numera betydligt säkrare att färdas i än den var på Sammel i Ängelts och Sven i Plåtas tid.

Ännu så sent som runt sekelskiftet skedde här emellertid flera mord. Oftast – i sann vildavästernanda – på grund av fylleri och alltför heta affärsuppgörelser!

Det är i den här miljön – formad av morän, rövare och rallare – som Mats Jonasson är uppvuxen. Och det är i den här miljön han trivs och känner sig hemma. Den lika vilda som karga trakten i mörkaste Småland kan nämligen upplevas på mer än ett sätt.

Här en beskrivning i ord och bild av honom själv:

åra skogar har under alla år påverkat folksjälen. I Mörka Småland söker alltjämt tålmodiga stigfinnare naturens mystik. Öppnas våra sinnen, kanske vi får uppleva en annorlunda värld.

På skogstjärnens klara vattenspegel får näckrosen likt spader kung en halva under sig. I förundran över detta optiska fenomen gör vi fantasin till vår följeslagare.

Dolda i granars dunkla skuggor väntar skygga och gåtfulla varelser på att nattens mörker gör verklighetens konturer otydliga. Den ensamme skogsvandraren anar deras närvaro.

John Bauer är en av få som har sett dem.

När aftonstunden nalkas och nejdens vindil kryddats med skvattram följer de oss in bland trädens gömmor.

Långa skuggor korsar vår stig. Den stolta furan strävar mot luftig sky. Vi förstår varför skogen blev de fredlösas bästa vän.

Över madens tuvor svävar dimmans lätta stråk. I mästerlig koreografi framtonar gracila rörelser i tunna slöjors dis.

Plötsligt!

Några vingslag, en tranas skri! Stundens skeende förtrollar vårt sinne. Taltrastens spirituella dialog med sig själv förleder vår uppmärksamhet.

I vaksam väntan glömmer vi tiden. Innan kvällshimlen rodnar silas en solstråle genom trädkronors grenverk. Den förgyller mossig tuva.

Vem regisserar detta skådespel?

Med denna obesvarade fråga fortsätter vi vår vandring. Den friska luften stimulerar både kropp och själ. Lusten att upptäcka lurar tröttheten. Bortom mörka grantoppars fris sänker sig solens eldröda sken. Den stilla kvällens atmosfär förtydligar skogsfågelns höga diskant. Samtidigt fångar fantasin en stråkes melankoli. I vindens viskning förnimmer vi Näckens sorglustiga spel.

En susning i moll, strängars pizzicato, eggande stråk.

När bäckens porlande vatten assimilerar felans trolska kvint, nalkas en annorlunda verklighet.

Med förväntan i sinnet står vi stilla och lyssnar. Pulsens rytm räknar vår tid. I fjärran hörs åter en tonslinga.

Skymningen tystar storspovens gäckande koloratur.

Blyertsteckning: Mats Jonasson.

Ingången till Rövarkulan på Gråstensmon är väl dold. Genom det lilla hålet försvann ogärningsmännen undan lagens långa arm. Foto: LE Carlsson,

Där strömstaren trivs, möts ibland Mats och Näcken. De är båda överens om att skogen var de fredlösas bästa vän.

Och att så verkligen var fallet kan man se än i dag. På Gråstensmon strax utanför Målerås ligger nämligen den så kallade Rövarkulan. Vägbeskrivning dit finns på Målerås glasbruk.

Emma Gustava Johansdotter Magnusson föddes i Madesjö 1839 och avled i Hälleberga 1929. Hon har berättat följande för Måleråsbygdens store historiker, Hilding Järnstam. Han nedtecknade Emma Gustavas berättelse den 29 mars 1923:

Från början har visst ett par män från Vissefjärda kommit hit för att börja röva och stjäla. De hade i sin hemtrakt gjort lagöverträ-

delser och det hade därför blivit hett om öronen för dem där. Här fick de tag i en hop slödder, så att det räckte till en liga. De hade sitt tillhåll i Rövarkulan. Antalet rövare torde inte varit fler än tio stycken.

Det mesta röveriet uppges ha bestått av att lura bönder. Några rövare satt och metade vid en vattensamling intill en backe. När skjutsarna kom till backen, skulle hästarna pusta ut ett slag. Körkarlarna gick då bort till fiskarna för att se om det nappade bra.

Under tiden vittjade de andra rövarna böndernas skjutsar!

Backen intill vattensamlingen kallades därför för Narrabacke ända tills den försvann i början av 1970-talet. Då planade ett nytt vägbygge ut backar och svackor.

Eldaren Alfred

Alfred Jonasson i sin krafts dagar.

I november 1873 föddes Mats' farfar Alfred Jonasson i en liten stuga vid sjön Härlen strax utanför Häradsbäck i Härlunda socken. Hemmet var fattigt. När pojken hade fyllt tolv, tvingade fattigdomen honom att försöka försörja sig själv.
Alfred fick ett knyte med bröd, fläsk och potatis. Sedan var det dags att lämna hemmet och klara sig på egen hand!

Denne stackars Alfred blev först vallpojke och hårt hunsad dräng i Skåne. Därefter hamnade han i Norrland som pinnpojke och järnvägsbyggare.

Det var en ännu hårdare tillvaro!
Järnvägsbygget stressades fram, vilket betydde kommenderat slit praktiskt taget dygnet runt. Den, som inte pallade för trycket, fick ge sig av. Massor av arbetslösa stod i kö för att rycka in.

1898 tog 25-årige Alfred anställning vid Kosta Järnväg. Som eldare och motorvagnsförare blev han snart en traktens kändis.
Det finns massor av historier om honom och lokförare J A Ahlberg. Här några strofer ur en dikt, skriven av glasarbetaren Hilding Ek. Han jobbade på både Kosta och Åfors glasbruk. Jonas, det är Alfred Jonasson det!

Jag fick mig en åklapp, klev upp i en låda.
Den kallades kupévagn, men Herre Gud nåda!
För den som försökte att resa sig rak,
han blev väl snart varse att där fanns ett tak!

Och folket i vagnarna riste och skaka,
men när som de märkte att det gick tillbaka,
de tog sina korgar och hoppade å
att plocka i skogen av bären de blå!

I tjugo minuter stod stinsen och blåste.
Han fäktade med armar, han skrek och han
tåste.*
Och när han så sedan gick fram till maskin,
satt Jonas och Ahlberg och spelte kasin!

Snart uti skogen bland stenar och stubbar
det vimlar av kvinnfolk,
korgar och gubbar.
— Sist, sa en kärring, vi stannade här,
då plocka' jag två korgar fulla av bär!

Nu stinsen han började fräsa och skälla,
från loket syns rökmoln mot himmelen välla.
Som vanligt, sa Jonas, är stinsjäkeln vrång.
Sen startade tåget med buller och bång!

Till sist nåddes toppen och "Pysen" hörs tjuta
och gubbar och kärringar började kuta.
— En timmes försening skall vi ta igen.
Håll i er, skrek Jonas. Nu går vi i sken!

Snart fick man sikte på backen i Målen
och Ahlberg hörs ryta: Spar inte på kolen!
Jonas han elda så svetten den dröp.
Och tåget det gnissla och skaka och kröp!

Och Ni kan tro att nu ökade farten.
Två kilometer man körde i kvarten!
— Nu, sade Ahlberg, det går som en dans.
Då mitt framför loket det viftar en svans!

*) Tåste betyder pustade på småländska.

Ett kokräk på rälsen alltså!
Men Jonas och Ahlberg fixade det också. Och kom i tid till Lessebo, trots att berömda "Pysen" egentligen inte fick användas i persontrafik.
Det var ett växellok!

Backen i Målen ligger mellan Ekeberga och Kosta station. Den gjorde resan osäker.
Men till slut vann alltid loket!
Så också den gång i mitten på 30-talet, då ett gäng kaxiga Växjöstudenter försökte skoja med Jonasson och Ahlberg. Studenterna skulle klara backen till fots lika snabbt som "Pysen".
Jonas lurade dem!

Han hade eldat på – som han sedan många gånger förklarade – utav bara helvete, men utnyttjade inte hela lokets kraft.
Förrän vid krönet!
Då gjorde "Pysen" ett oväntat ryck.
Studenterna hann inte ifatt, utan fick promenera de sista kilometerna till stationen!

Eldare Alfred var en mustig karl. Rak, bestämd och med ett jävlar anamma till humör, som ofta inspirerade unga hartsfiolspelare i Målerås vid seklets början.
Formad av barnaårens armod gav han bolsjeviker och kommunister sin sympati, men med åren dämpades den ungdomliga radikalismen.

Alfred var världsvan efter alla dräng- och rallarjobb runt hela Sverige. Och han kunde språka med vem som helst.
– Farfar använde ofta liknelser och aforismer i sitt språkbruk, berättar Mats. Dessutom kryddade han dessa med en och annan spänstig svordom.
– I mina barnaöron lät det som musik!
Mats vandrar och cyklar ofta på den gamla

Pysen – endast 3,65 meter långt – var troligen det minsta ånglokomotiv, som har varit i allmän trafik på en svensk järnväg. Bild ur boken Kosta Järnväg, utgiven av Museiföreningen Östra Södermanlands Järnväg.

järnvägsbanken, där farfar Alfred en gång i tiden blev en legend. Han känner väl till trakten och har träffat många Måleråsbor, som sett loket Pysen i full aktion.

Dessutom har Mats naturligtvis hört massor av berättelser om hur befolkningen levde och verkade på järnvägens tid. Under denna period lämnade många torpare sin jordbrukande verksamhet. De blev glasarbetare eller erbjöd skogsbolagen sina tjänster. Hyttorna behövde bränsle och industrin krävde råvaror. Det fanns i skogen.

Den gamla jordkällaren i Långerås är ett minnesmärke över den av industrialismen så bryskt undanträngda bondekulturen. Mats har själv tagit bilden på nästa sida och skrivit den till eftertanke manande texten.
Och han har också på floatglas med sin speciella teknik graverat det havreax, som jorden gav och fortfarande ger.
Hur blir det i framtiden, undrar han?

Foto: Mats Jonasson.

 denna gamla jordkällare har förmodligen Bernhard och Bror Johansson tillsammans med sina föräldrar förvarat grödan, som jorden gav. Tiden har gjort ett minnesmärke över deras agrara strävan. Vad lämnar atomåldern för spår efter sig?

Gravyr på floatglas: Mats Jonasson.

 etta havreax påminner oss om vår jordnära bakgrund.
Ännu så länge gror ett frö när det sätts i jorden.
Är det självklart, eller...

Mats farmor, Almida Ottilia
Erlandsson från Silverekemåla, var
med och bildade nykterhetslogen
Linnéa i Målerås.

Almidas och Alfreds fyra barn: fr v
Anna-Greta, Nina samt tvillingpoj-
karna Nils och Sven. Nils i förgrun-
den blev Mats pappa.

1904 gifte sig Alfred med Almida Ottilia
Erlandsson. Hon var från Silverekemåla, fågel-
vägen bara några kilometer från Målerås.
Almida var ett rakryggat och bestämt fruntim-
mer. Hon var med och bildade nykterhetslo-
gen Linnea i Målerås.
Alfred var med några veckor, men gick sedan
ur!
På en fest påpekade någon att Alfred var en
stilig och elegant karl.
– Visst, sade Almida. Men att slita honom till
vardags är inte så lätt!

Almida och Alfred fick fyra barn, två döttrar
och två söner. Pojkarna, som föddes 1909, var

tvillingar. De vägde inte mycket. Knappt två
kilo stycket!
Tvillingarna lindades in. Och placerades i var
sitt stövelskaft intill kakelugnen.
Det mådde de bra av!

I varje fall blev det så småningom två mycket
skickliga glasarbetare av Sven och Nils, som de
döptes till.
Sven blev mästare med Nils som benmakare i
samma servisglasverkstad på Målerås glasbruk.

Där jobbade de sedan hela livet. Båda 161
centimeter långa och med samma trivselvikt
runt 57 kilo.

Lille Mats

Tvillingarna gifte sig. Först till altaret var Sven, som 1939 äktade Arla Lindkvist från Flerohopp.
Paret fick två pojkar. Ola föddes 1946 och Staffan 1951.

Tvillingbror Nils gifte sig 1944 med Maj-Britt Pettersson från Gadderås. Hon hade något år tidigare fått tjänst som hushållerska och allt i allo hos mycket omtyckte glasbruksdisponenten Gustaf Westberg och hans hustru Märta i Målerås.

– Maj-Britt var en sällsynt intelligent, duktig och läraktig flicka, minns Märta, som nu bor i Växjö. Vi hade ju gäster i huset praktiskt taget varje kväll. Så här fanns mycket att göra. Maj-Britt klarade alla sorts sysslor på ett väldigt praktiskt och bra sätt!
Maj-Britt och Nils fick en son. Han föddes 20 mars 1945 och döptes till Mats.

Starten i livet kunde ha blivit bättre. När Mats bara var ett halvt år gammal, tog läkarna hans mamma ifrån honom.
Hon hade drabbats av tuberkulos och fördes till sanatorium.
– Processen kommer att bli hastig, löd beskedet därifrån!

Men under skedde. Maj-Britt, som var sjukast av alla på avdelningen, var den enda som överlevde.
Efter nästan två års frånvaro kom hon äntligen hem.
Då blev Mats jätteledsen!

Ettårige Mats Jonasson leker bland prästkragar.
Foto: Awe Walwing.

Han grät och ropade efter moster Anna-Lisa. Hon hade nämligen tagit på sig rollen som mamma i sin sjuka systers ställe!
Denna situation var naturligtvis inte lätt för en mor. Men Maj-Britt gjorde det enda rätta.

Mamma Maj-Britt.

Hon tog Mats med sig och reste till föräldrahemmet i Gadderås.
Efter en kort tid återvände mor och son. Ordningen var återställd!

Naturligtvis bodde tvillingfamiljerna i samma hus. I exakt likadana tvårummare och på samma våning dessutom. Adressen var Voltagatan 10 i Målerås. Huset finns fortfarande kvar.
– Där var dörrarna aldrig stängda, minns Mats. Kusinerna och jag for som tättingar mellan lägenheterna!

Men mest var det lek utomhus. Bad i Långegöl, skridskoåkning på Skogvaktargöl och fiske i Abborrgöl.
Det vimlar av små sjöar runt Målerås!

Mats vandrar ofta vid stränderna. Och det borde Smålandspostens utsände i samband med järnvägsinvigningen 1899 också ha gjort. I trakten kring karga Gråstensmon finns det pärlor.

Mats ser dem och vet sedan barnsben var de finns:

Vita moln speglar sig i Långegöl. Foto: Mats Jonasson.

*M*ed förhoppningar, livslust och vajande metspön närmar sig
ungdomliga optimister vassvikens stiltje. Spillkråkans terser
varnar i stilla morgonstund.
Blå himmel, vita moln och sommarlov glättar unga sinnen.
I snår av pors prasslar sländors vingar. Signalfärgat flöte lyser vid näck-
rosens öppna kalk.
Ringar på vattnet, förväntan …

Ljusa drömmar trotsar södergök.

Foto: Mats Jonasson.

Ä *ven de karga trakterna kring Gråstensmon har*
sina vykortsobjekt. Vid den gamla dammen
i Barkahult några kilometer norr om Målerås
mötte min kameras öga Alsteråns forsande vatten.

Foto: Mats Jonasson

Behövs Sergels torg?

Goda tider rådde i efterkrigstidens Målerås, när Mats Jonasson kom till världen. Glasbruket med 180 anställa var i mycket gott skick.

Fina träd att bygga hyddor i är det också gott om.

– Jag minns att Mats och jag hela vintrar och vårar planerade för sommarens indianliv, berättar skolkamraten Göran Gill. Då byggde vi riktiga indiantält av säckväv och sprängtråd.

Riktiga riddargrejer skaffade sig pojkarna också. Svärd av trä och sköldar av tunnlock. Sedan slogs de så att blodet rann!

– Slaget på Kefas åker sommaren 1955 är berömt, berättar en annan klasskamrat till Mats, Evert Johansson i Växjö. Då brakade samhällets pojkar samman med oss från Målerås Södra. Det var en lika jämn som brutal batalj. Den slutade med att vi Södrapojkar blev uppjagade bland husen. Mats fanns med bland de grymma segrarna.

– Herre Gud, vad jag var rädd!

Slagfältet hade fått sitt namn efter brukets barske smed Rudolf Blomberg, som kallades för Kefas. Han var färgad av ässjans sot och hade en mycket bister uppsyn.

Detta skrämde bort många unga uppfinnare, bland andra Mats, från smedjans skrotupplag.

Goda tider rådde i efterkrigstidens Målerås, när Mats var liten. Bruket hade blivit stort – cirka 180 anställda – och i samhället fanns en skoaffär, en herrekipering, en sybehörsaffär, två konditorier och tre livsmedelsbutiker.

Och så fanns det flyktingbaracker med balter också.

Till samhället kom också en tysk familj. Sonen såg snäll och prydlig ut.

– När de trasklädda balterna fick reda på att pojken var tysk, gav de sig på honom, berättar Mats. Det gjorde mig väldigt upprörd. Jag begrep ju ingenting, utan hoppade in på den stackars pojkens sida. Och fick mig en rejäl omgång stryk!

Det hände ganska ofta att Mats var inblandad i bataljer. Näsblödande barn visades då och då av arga föräldrar upp för mamma Maj-Britt, som ibland blev lite orolig.

Men pappa Nils fällde aldrig en kommentar. Och bäste lekkamraten, Göran Gill, klarade sig hela tiden fint.

– Man skall aldrig reta Mats, säger han. Och framför allt aldrig försöka sätta sig på honom.

– Då går det illa!

Stort A i teckning

Mats har alltid varit lite lömsk på det okända. Och att rutas in i skolans stränga schema kändes förstås för en sommarindian väldigt okänt och därför mycket lömskt.
Mats ville helt enkelt inte gå till inskrivningen!
– Men blev naturligtvis tvungen, berättar han. Och redan efter första dagen i skolan längtade jag intensivt efter nästa. Faktum är att jag stortrivdes hela tiden!

Mats gick sju år i skolan. De sex första i Målerås, det sista i Orrefors.
Han var en mycket bra elev. Mats begrep det han läste och behövde därför aldrig bli plugghäst.

– Lugn, försiktig och fundersam inne i klassrummet, berättar klasskamraten och gode vännen Evert Johansson. Nästan lite blyg!
– Men på rasterna var han lindrigt sagt livlig. Och helt makalös på att ta sig upp i träd. Mats var en av skolans bästa stamklättrare. Han behövde inga grenar att klänga i!

Övningarna i träden gjorde Mats till en smidig och stark liten pojke. Han blev duktig i löpning, längdhopp och kast med liten boll. Något som Målerås hade nytta och glädje av minst en gång om året.

– Skoltävlingarna i friidrott mot Orrefors och Gullaskruf var för oss enormt stora och prestigefyllda tillställningar, berättar Mats. I klass med OS eller VM i fotboll. En och annan

Mats strortrivdes i skolan och var en mycket duktig elev.

poäng klarade jag faktiskt hem, trots att nerverna spökade då och då.

Men bäst var Mats på att teckna. Klassens och hela skolans suverän.
Stort A i betyg!
Talangen hade han börjat odla redan i treårsåldern. Katter, bilar, indianer och hästar var favoritmotiv, flitigt demonstrerade för släkt och goda vänner.

Fasters nickelskål, tecknad av Mats 1963.

Som 14-åring anmälde Mats sig till NKI-sko-lan. Han började teckna per korrespondens. Och fick tillbaka sina alster med berömmande kommentarer.

"Utmärkt" stod det på de flesta teckningarna! Göran Gill bor numera utanför Karlshamn. Han gick alla sju åren i folkskolan tillsammans med Mats.

Före detta NKI-eleven tar fortfarande fram blyertspennan då och då.

– Vi målade med olja ibland på fritiden, berättar Göran. Jag är faktiskt inte helt värdelös själv. Men jag tyckte alltid att Mats' tavlor blev betydligt finare än mina.

Mats har alltid nyfiket då och då prövat annat bildskapande utöver glasgravyren.
Han tecknar och målar. Dessutom har han prövat på grafik:

27

Vitsippor, första försöket! Grafik: Mats Jonasson.

Skvattram. Foto: Mats Jonasson.

*J*ag köpte en bok om grafik för några år sedan. Den var intressant och gav mersmak. Jag fick lust att pröva själv. Glasgravörens metoder liknar grafikerns. Med blästersand och diamantverktyg bearbetade jag en gammal mässingsplåt. Vitsipporna tonade fram på den blanka metallytan. Några provtryck gjordes. Jag blev någorlunda nöjd med resultatet. Men i jämförelse med naturens verklighet stärktes inte mitt självförtroende!

Akvarell: Mats Jonasson.

*F*örmågan att avbilda och göra något personligt av vad
ögonen ser är av stor betydelse för alla som skapar bilder.
Ibland får man lust att göra sig fri från verklighetens
synintryck. Trotsa realismen, strunta i regler, skaka av sig fördomar,
vara opåverkad och fri. Låta sig enbart inspireras av den vita ytan på
akvarellpapperet, öppna färglådan, fatta penseln och måla ...

Att improvisera med färg och pensel är som ett schackparti. Man vet
aldrig hur det slutar. Motståndaren är godtycket.

Akvarell: Mats Jonasson.

Gravörelev Mats Jonasson 1963.

Efter folkskolan fortsatte Göran till realskolan i Nybro. Sedan blev det tekniska gymnasiet i Kalmar.

– Det kunde Mats också ha gjort, säger Göran. Han har alltid haft huvudet på skaft. Att ta studenten hade inte varit något som helst problem för honom.

Det hade det säkert inte. Vid värnpliktsmönstringen blev Mats uttagen till befälselev. Och hamnade som ende folkskolegrabb bland en massa studenter vid I 11 i Växjö.

– För mig var det inga problem, berättar Mats. Och inte för mina lumparkompisar heller. Men en del små översittarpåvar i den lägre befälsklassen hade svårt för att tolerera min begränsade utbildningsnivå.
– För dem var jag en katt bland hermeliner!

Först blev Mats kallad stridis. Lumparkompisarna tyckte att han sprang för fort i terrängen. Och lade ner på tok för mycket energi på all fysisk träning. Sedan begrep de att Mats alltid gjorde det!

Nu får glasbruksdirektören och internationellt kände glasgravören i Målerås då och då hjärtliga besök av sina gamla lumparkompisar från tiden på I 11 i Växjö.

Mats själv ångrar i dag endast att han aldrig lärde sig språk. De internationella besöken i Målerås är ju numera många.
– Men det tänkte jag inte på då, säger han. Teckning, fotboll och musik gjorde livet värt att leva. Och att studera för att få jobb i Målerås var ju nästan slöseri med kraft och energi. På den tiden var det bara att gå till glasbruket och anmäla sig!

Det gjorde Mats. Och hamnade naturligtvis i gravörverkstaden. Som elev hos gravörmästaren och formgivaren Folke Walwing.

Nu, trettiofem år senare, är gravöreleven majoritetsägare och glasbrukets verkställande direktör!
Men fram till för bara några år sedan kallade han sig fortfarande gravörelev i telefonkatalogen.

– Och det är jag ju egentligen nu också, säger Mats. Man kan aldrig bli gravörmästare. Det skulle innebära något fullbordat och icke utvecklingsbart.
– Så illa är det lyckligtvis inte ännu!

Remmare och Gustaf III

14-årige Mats Jonasson inledde alltså år 1959 sin glaskarriär på bruket i Målerås som gravör-elev hos Folke Walwing.
Han var i sina glans dagar en fin herre!
Folke var nämligen själv skolad av fint folk.
Han hade under sin tid i Orrefors graverat åt så kräsna och krävande berömdheter som Simon Gate och Edward Hald.
Ett godkännande av dem var ju högsta betyg!

Det betydde naturligtvis stor prestige och hög status på bruket. Och Folkes position i Målerås blev ännu mer glansfull i början av femtiotalet.
Då blev han av bruksledningen titulerad designer!

Folke gjorde sig mycket förtjänt av detta hedersuppdrag. Pressglasserien Silvra är hans verk liksom konstglaslinjen Nebula i helkristall.
Och formgivare Walwings båda serviser Finess och Bris var under många år storsäljare. Nu finns de inte längre i produktion, men Bris är bevarad för eftervärlden på Nationalmuseum i Stockholm.

Denne finlirare skulle alltså lära en fjortonårig stamklättrare med stort A i teckning att gravera.
Det var ingen lätt uppgift!
Mats var visserligen lika begåvad som intresserad. Men själva sättet att gravera var på den tiden mycket komplicerat och hårt tålamods-prövande.
– Bara att sköta verktygen var en hel veten-

Vackra remmare från Målerås, dock med föga inspirerande varubeteckningar. Den vänstra kallades HÅ och den högra nummer 13!

skap, berättar Mats. Gravyr utfördes då med kopparskiva och smärgel. Och kopparskivor fanns det av nästan oräkneliga dimensioner!

Målerås glasbruk hade en stor kollektion på 60-talet. Men för gravöreleven med stort A i teckning verkade den ändå ganska smal.
Orsaken var brukets populära remmare, men också servisglasserierna Rosen och Gustaf III.

Dessa finbordsprodukter var av yppersta kvalitet. Varje glas ansågs med all rätt som ett första klassens lagarbete mellan glasblåsare, slipare och gravörer.
Remmarna, Rosen och Gustaf III var därför, trots den tidens förhållandevis höga pris, mycket efterfrågade.

Champagneglas Gustaf III. Foto: Mats Jonasson.

G *lasblåsares artisteri med den glödande massan imponerar*
på åskådare. Slipares och gravörers precisionsarbete
väcker kanske inte samma beundran, men alla hantverk
kräver sin man.
Gustav Sälgfors var en skicklig slipare, som levde och verkade i Målerås
under 1900-talets första hälft. Hans mästarhand vilar för evigt sedan
många år, men hans arbeten lever vidare.
Med linjär stringens bryter fortfarande hans facetter solens strålar.

Glasblåsare.
Tuschteckning:
Mats Jonasson.

Detalj ur kristallskålen Slända. Formgivning, gravyr och foto: Mats Jonasson.

Den stora efterfrågan på dessa Målerås-produkter satte sin prägel på unge Mats Jonassons tillvaro.

– När man hade gjort sju hundra remmare kom sju hundra nya, berättar Mats. Jag skulle fortfarande kunna göra dem i sömnen!

– Men naturligtvis var det en lärorik tid, tillägger han. Jag lärde ju mig inte bara att gravera, utan prövade också övrig efterbearbetning och förädling av glas.

Det är den kombinationen från ungdomsåren – stort A i teckning och djupa kunskaper om hur glas skall hanteras – som i dag gör Mats Jonasson till en unik person i det småländska Glasriket.

Ingen verkställande direktör har någonsin praktiskt behärskat materialet glas så bra som han. Och ingen verkställande direktör har heller behärskat produktionsapparaten så bra som han.

Men framför allt: ingen verkställande direktör har någonsin behärskat sitt bruks sortiment så bra som Mats.

Han har ju själv formgivit nittiofem procent av Målerås glasbruks kollektion!

Tvärflöjt och fotboll

Gravöreleven Mats är mycket musikalisk. Och mycket intresserad av musik. Han spelar på sin flöjt en stund varje dag.
Talangen har Mats ärvt av sin farfar.
Mustige eldaren Alfred var nämligen, som man sa, en jävel på munspel. Dessutom sjöng och visslade han bra.

Pappa Nils och hans tvillingbror Sven gillade också musik. Nils spelade fiol och Sven piano. Båda var dessutom med i samhällets sångkör.
– Små gubbar med stora basröster, berättar Mats.

Pappa Nils hade skaffat ett piano. Lille Mats tog lektioner.
Brita Lindahl var ledare för sångkören i mer än fyrtio år. Dessutom samhällets pianolärarinna.
Hon minns lektionerna mycket väl.
– Mats var en duktig elev, berättar Brita. Men också mycket ivrig. När han hade spelat upp sin läxa, skulle vi direkt gå på något nytt!

Mats var inte så intresserad av att lära sig läsa noter under dessa lektioner. Han hade för bråttom!
För det mesta gick det till så att Brita först spelade en etyd. Sedan härmade Mats!

Den tidiga pianokarriären slutade bryskt.
Farbror Sven i grannlägenheten skaffade nämligen radiogrammofon.
Från den hörde unge Mats en ouvertyr av italienske tonsättaren Gioacchino Rossini.
– Den gjorde ett djupt intryck, minns Mats.

Flöjt, oboe och klarinett lekte livligt med varandra över hela registret.
– I en skog av stråkar är träblåset som ddrycken till maten!

Mats blev omedelbart själv träblåsare. Det fanns turligt nog just då en flöjt av detta material ledig i byns musikkår.
– Och lyckligtvis också ett gammalt papper med grepptabell, berättar han. Någon lärare fanns däremot inte!

Mats övade flitigt med grepptabell och flöjt. Flera timmar varje kväll.
Det har gett resultat!
Nu ger han då och då offentliga konserter. Ibland tillsammans med dottern Åsa, ibland tillsammans gode vännen Reine Lindahl.

Som till exempel 1990, då Målerås glasbruk fyllde hundra år. Då gav herrarna konsert i samband med jubileumsutställningen på Smålands museum i Växjö.

Mats har spelat saxofon också. Inte enbart för älgar, utan också i Målerås musikkår.
På sextiotalet fanns han dessutom med i flera dansorkestrar.
– Det var spelningar mest varje helg, berättar Mats. På danshak i både Småland och Blekinge. Det gav extra förstärkning i kassan.

Då och då drar Mats fortfarande av en låt på saxen.
– Men det är flöjten som gör mig spelsugen, säger han.

Teckning: Mats Jonasson.

*F*löjten kan likt lärkans drill göra öppna sinnen glada. Musik kan tolkas och avnjutas på många sätt. Somliga lyssnar på koltrastens aria i grantoppen en vårkväll. Andra njuter av tolvton i fortissimo. I kontrast mot tystnaden lockar även den svagaste viskning vår hörsel.

Foto: Samuel Bäckli.

G öran Johansson dirigerar Målerås musikkår. Han var en fin
musiker, akvarellist och god kamrat. Hans
klarinett tystnade alltför tidigt. Görans lågmälda
sarkasmer lyfte många mungipor när det som bäst behövdes.
Musikkåren spelar vanligtvis vid traditionella festligheter i Målerås.
I regnrusk på valborgsmässoafton, i stark motvind första maj och
på julafton i snöfall med frusna fingrar. Även annat nedfall har härdat
de tålmodiga spelmännen.
Vid ett tillfälle visade naturen sin bristande respekt för musikanternas
seriösa avsikter. Vädret var vackert, instrumenten blänkte och noter
delades ut. Måsarna skränade i skyn och befarade konkurrens.
Thor Lindahl höjde sin dirigerande hand och påkallade
uppmärksamhet. Med beundransvärd precision gjorde en hånskrattande
mås klarinettnoterna otydliga. När fullträffen på Görans notblad hade
konstaterats, hördes hans tystlåtna kommentar:
– Så snabbt har jag aldrig tidigare blivit recenserad!

Teckning: Mats Jonasson.

Däremot har Mats definitivt lagt fotbollsskorna
på hyllan. Det är många tacksamma för.
Mats själv också!

Vad ångrar du av det du gjort?

Så löd en fråga till Mats Jonasson i en tidnings
sommarintervju.

*Att jag under min fotbollskarriär i Smålands lin-
gonserie inte kunde tygla mitt humör.*

Svarade Mats mycket ärligt och uppriktigt .
Och hoppades förmodligen på syndernas förlå-
telse!
Men det lär han nog aldrig få. En hetsigare och
ilskare tvärflöjtsspelande Rossini-älskare har
aldrig visat sig på en fotbollsplan.
Så här beskriver han själv sitt förhållande till
sporten:

I *påverkan av ivrig segervilja negligerades ofta domarens auktoritet. Framfusiga ruscher i närkontakt med motspelare orsakade högljudda protester. När jag hade bollen blev domaren mer observant och hans visselpipa var som gjuten i käkarnas fasta bett. Höga signaler hördes, hårda ord utväxlades, gula och röda kort lyste ilsket mot regeltolkarens korpsvarta klädsel.*

Het kamplust, patriotism och många baklängesmål medverkade till att domaren ofta degraderade mig till åskådare. Men dålig förlorare var jag i högst sju minuter.

Därefter var det dags att med optimism se fram emot nästa match, som oftast slutade med förlust. Somliga påstår att optimism är symptom på bristande insikt. Vad gör pessimisten?

Försöka, viljan att göra sitt bästa, är väl en anda som alla bör fostras i även om det är lek? I tävlan ses segern som det absoluta målet. Vinnarinstinkten är betydelsefull – annars blir det ju ingen match!

Jag minns ett år när mitt namn placerades överst på listan i Målerås IF:s interna skytteliga. För mig som fotbollsspelare var detta symptomatiskt – vi lyckades erövra en poäng under hela säsongen och blev naturligtvis sist i tabellen. Men den poängen gav oss självförtroende. Det var en stor seger. Det går att vinna om man är försiktig med målsättningen.

Egentligen var inte min lust att spela matcher särskilt stor. Jag ville hellre, likt tjuren Ferdinand, sitta och lukta på blommorna, även om det inte verkade så när mina aktiviteter på fotbollsplanen beskådades. Ofta fick en cocktail av adrenalin spetsad med mjölksyra olyckliga konsekvenser.

I motsats till alla matchers kalabalik minns jag många sköna stunder efter hårda träningspass.

Den ungdomliga spänsten under intervallträning på vårvintrig skare. Den nya bollens välpumpade vita sfär i kontrast mot Parkvallens sommargröna gräs. Lekfull kamp på tränarens kommando, häftiga andetag i den friska kvällsluften.

Trötta kämpar rör sig på stumma ben mot vila. Kroppar sjunker tungt mot omklädningsrummets enkla britsar. Svettdroppar faller, duschen väntar, kalla drycker släcker törst, unga viljors optimism, drömmar om nätrassel och supportrars hejarop. Få vara en i laget, samhörighet, språka med kamrater i god laganda.

Dessa stunder har betytt mer än alla lustfyllda segervrål!

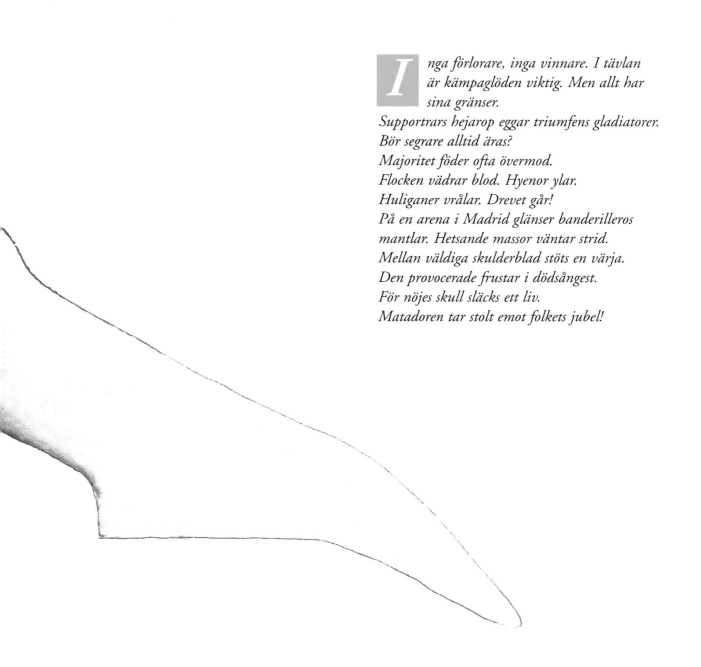

*I*nga förlorare, inga vinnare. I tävlan
är kämpaglöden viktig. Men allt har
sina gränser.
Supportrars hejarop eggar triumfens gladiatorer.
Bör segrare alltid äras?
Majoritet föder ofta övermod.
Flocken vädrar blod. Hyenor ylar.
Huliganer vrålar. Drevet går!
På en arena i Madrid glänser banderilleros
mantlar. Hetsande massor väntar strid.
Mellan väldiga skulderblad stöts en värja.
Den provocerade frustar i dödsångest.
För nöjes skull släcks ett liv.
Matadoren tar stolt emot folkets jubel!

El Cordobes' offer.
Förslag till väggrelief.
Tuschteckning: Mats
Jonasson.

Värt att kämpa för!

Även om inte blodet flöt lika ymnigt på Parkvallen som på arenan i Madrid, var ändå Mats både domarnas och motståndarnas stora fasa!

– En fruktansvärd kämpe med enorm segervilja, berättar skolkamraten högerbacken Evert Johansson. Mats var vältränad och snabbast i kedjan. Dessutom hård som flinta i kroppen.

– Det gjorde honom ytterst svårstoppad! Men Mats var ingen tekniker. Snarare en av

dem i laget, som hade störst anledning att beklaga bollens runda form.

Däremot hade Mats en väldigt bra kondition. Han sprang alltid mest av alla på planen.
– Tyvärr oftast i onödan, säger Mats nu!

– Mats skall nog inte ångra sin fotbollskarriär alltför mycket, säger Evert. Det var han som peppade laget. Från samlingen på Handelsbolagets trappa till slutsignalen.
– Om han fanns kvar på planen då...

44

Röd Volvo och stickad tröja

Den här bilen köpte Mats 1965.

När Mats gick i småskolan hade bara en enda klasskamrats familj bil. Avstånden på och omkring Gråstensmon var med andra ord väldigt långa.

– Det hände att glasarbetare från Alsterfors fick jobb här i Målerås, berättar Mats. Då flyttade hela familjen hit. Trots att det bara är sju kilometer mellan samhällena!

För Mats krympte avstånden 1965. Då köpte han – delvis för pengar från orkesteräventyren – en splitter ny Volvo PV 544. Sportvarianten till och med, trots att han är en mycket försiktig trafikant!

– Priset var 13 000 kronor, berättar han. Jag gav några hundralappar extra för färgen. Den var röd!

Egentligen var bilen hela familjens angelägenhet. Pappa Nils hade hjälpt till att finansiera köpet.

Men det var Mats som körde skönheten. Han var den ende i familjen som hade körkort.

Och så var han ju en mycket skötsam yngling. Det uppskattades även av kompisarna!

– Vi ungdomar hade en festklubb i Målerås på den tiden, berättar gode vännen Evert Johansson. High Chaparral-gänget kallade vi oss. Vi hyrde ett litet rum på andra våningen i Folkets hus. Inför danskvällarna här och i samhällena runt omkring, värmde vi upp med några glas där. Sedan fick vi skjuts av Mats!

Unga fröken Eva Gränesjö.

Mats var själv aldrig med i High Chaparral-
gänget. Det berodde på arvet efter mustige
eldare Alfreds hustru Almida.
Hon, som alltså var Mats farmor, uppfostrade
naturligtvis alla sina barn i Logen Linneas
enda rätta och sanna anda.

– Den familjetraditionen har jag respekt för,
säger Mats. Trots att jag egentligen ogillar fun-
damentalister av alla de slag. Men om jag hade
supit och levt rullan, skulle jag nog ha känt
mig som en svikare.
– Dessutom, varför skall man behöva döva
omdömet för att ha roligt?

Sådana tankegångar är ju ofta mycket populä-
ra bland flickorna på dansbanorna.
Det är ju inte alla som kan bjuda på skjuts
hem!
Men det kunde alltid Mats. Även den kväll

Beatles-influerad Mats vid Rövarkulan.
Foto: Ola Jonasson.

1969, då han råkade ut för missödet på Idesjö
loge.
– Jag dansade med en trevlig flicka, berättar
Mats. Hon hade ett bälte med metallsölja. Jag
hade en stickad tröja. Vi fastnade i varandra.
– Och kom inte loss!
Den trevliga flickan hette Eva Gränesjö. Hon
kom från Hälleberga.

Familjen Jonassons hem Furulund ligger intill skogen bara några hundra meter från glasbruket. Foto: Mats Jonasson.

Eva och Mats träffades under den tid, då Beatles präglade både musiksmak och mode. Inte ens på Gråstensmon i mörka Småland kunde man undgå påverkan av John Lennon!

6 juli 1974 resulterade det gamla missödet på Idesjö loge i bröllop. Vigseln hölls i Kråksmåla gamla vackra träkyrka.
De nygifta flyttade in på Furulund i Målerås. Där bor de fortfarande.
Och de har fått fyra barn. Mattias föddes 1975 och Åsa 1978.
1984 blev det tvillingar! De heter Ida och Petter.

Foto: Håkan Karlsson

Laguppställning påsken 1996. Främre raden från vänster: Petter, Ida och Eva. Bakre raden från vänster: Mattias, Mats och Åsa. Petter tyckte att fotografen tog för god tid på sig. Kompisarna väntade ...

Mats till Kosta!

Strax efter missödet på Idesjö loge 1969 lämnade Mats Målerås glasbruk.
Och började jobba i Kosta!
– Mest berodde avhoppet på stämningen i Målerås, berättar Mats. Glasbruket hade blivit en satellit i en koncern, som lät gravörverkstaden falla i glömska. Kreativiteten förbyttes i likgiltighet.
– Och initiativen lyste med sin frånvaro!

Målerås glasbruk hade nämligen 1966 köpts upp och hamnat i den så kallade Flygsforsgruppen.
Den var redan då i utförsbacke!
1967 försvann bruket i Gadderås för gott. Kvar blev endast huvudbruket Flygsfors med tidigare så stolta Målerås som filial.
– Det hände inget nytt på flera år, berättar Mats. Så jag blev helt enkelt trött på hela tillvaron!

Den ständige gravöreleven i Målerås blev således ett lättlockat byte, när Kosta Glasbruk 1969 annonserade efter en gravör.
Så Mats började pendla över Gråstensmon.
Loket Pysen och järnvägen fanns inte längre.

– Men den röda Volvon fungerade fint, berättar Mats. Fast på vintrarna fick den då och då hjälp av yxa och såg. Tjocka träd tvärs över vägen klarade den inte av!

Chef i Kosta var då Erik Rosén. Han hade kommit dit 1965 efter sina smått makalösa framgångar i Boda tillsammans med formgivarrevoltören Erik Höglund.

Kostachefen Erik Rosén.

Nu anställde Rosén fler formgivare. Ann och Göran Wärff till exempel.
Dessutom ädelsmeden Sigurd Persson.

Rosén visste vilken stor betydelse produktutveckling har. Han var därför ständigt på jakt efter nya, friska idéer. Och eftersom blommor och blad inte hade använts på glas sedan det glada tjugotalet, kunde detta tema betraktas som nytt.

Ädelsmeden Sigurd kände en jätteduktig blomstertecknerska.
Erik Rosén kallade henne omedelbart till Kosta!

Sigurd Persson, Lisa Bauer och Mats Jonasson i Kosta gravörverkstad.
Foto: Sten Robért.

Dit, med ett stort knippe teckningar i bagaget, kom Lisa Bauer. Hon är inte på något sätt släkt med sagotecknaren John Bauer. Men hon var ett ganska känt namn redan då hon kom till glasbruket.

Efter konstfack i Stockholm 1938-1942 hade nämligen denna pigga Göteborgstjej synts flitigt i en mängd tidningar.
Hem och fritid, Hem i Sverige och tidningen Vi var några av dem.
Dessutom hade Lisa på fyrtiotalet illustrerat

maken och landskapsarkitekten Walter Bauers populära trädgårdskåserier i Dagens Nyheter. "Tips för tomten" hette de.

Tecknerskan Lisa Bauer från Stockholm och gravöreleven Mats Jonasson från Målerås gjorde ungefär samtidigt entré i ärevördiga Kosta Glasbruks gravörverkstad.
Där härskade den skicklige mästaren Thage Cronqvist.
Men över honom, och det skyhögt, härskade formgivarfenomenet Vicke Lindstrand.

Pion till vänster och majs till höger. Gravyr i samarbete mellan Mats Jonasson och Lisa Bauer. Foto: Sten Robért.

Och mot Vicke stack man inte upp!
– Det behövdes heller inte, berättar Göran Johansson, som nu är verkmästare på Målerås glasbruk. Vicke var helt suverän på att rita för gravering. Det var lätt att tyda hans teckningar. Och så kunde han ju glas!

Det kunde naturligtvis inte Lisa Bauer. Och hennes teckningar gav utrymme för improvisation.
Det passade nykomlingen från Målerås!
Mats begrep genast, att Lisas skira blommor

skulle graveras med lätt hand. Inte alls på samma sätt som efter Vickes mycket kraftfulla förlagor.
De krävde gravyr på djupet.

Men Mats gjorde en annorlunda tolkning.
Och han var nykomling.
Dessutom långt bortifrån skogen!
– Visst fick jag mina gliringar, berättar Mats. Jag graverade ju inte som man skulle gravera i Kosta. Men både Lisa Bauer och Erik Rosén gillade mitt jobb!

Smultronskålen. Gravyr i samarbete mellan Mats Jonasson och Lisa Bauer.
Foto: Sten Robért.

Lisa Bauer, som just nu håller på med en jätteutsmyckning av domkyrkan i Linköping, minns mycket väl tiden tillsammans med Mats Jonasson i Kosta.
– Han är en väldigt fin och mycket duktig pojke, säger hon. Mats vet vad han vill med sitt arbete. Och han utvecklar ständigt nya metoder. Det jobbet vi gjorde tillsammans i Kosta, hade Mats egentligen klarat av själv! Mats själv spar heller inte på orden, när han

minns tiden tillsammans med Lisa.
– Hennes lilla tuschpenna dekorerade en skål lika rationellt som Tomtefar målar schackbräden i julaftonens Disneyfilm!

Så låter det som bekant sällan konstnärskollegor emellan.
Men Lisa Bauer är en mycket uppriktig kvinna.
– Vi gjorde Rosen-skålen i begränsad upp-

Rosenskålen. Gravyr i samarbete mellan Mats Jonasson och Lisa Bauer.
Foto: Sten Robért.

laga, berättar hon. Den mycket speciella gravyren är Mats Jonassons eget verk. Även om andra också fick utföra den.

Att samarbetet mellan Lisa Bauer och Mats Jonasson skulle fungera så bra som det gjorde var egentligen självklart. Det var nämligen två mycket likasinnade själar som samtidigt gjorde entré i Kostas gravörverkstad.
Lisa Bauers stora intresse för naturen finns ju

numera dokumenterat på enorma fönster i Linköpings domkyrka. Och för Mats Jonasson och Målerås glasbruk har ju djur och natur blivit ett inspirerande tema.

Lisa Bauer har hämtat mycket inspiration från de halländska blomsterängarna. Mats Jonasson har hållit sig till trakterna på och omkring Gråstensmon.
Ibland har han haft kameran med sig:

Foto: Mats Jonasson.

S *ommaren 1994 var varm och torr. Den stora aspen vid Linkulla kunde inte ge alla sina blad näring. Några offrades i förtid och kolorerades av höstens karotin.*
I gengäld gav dessa färger våra ögon påminnelser om vad naturens egen pensel förmår.

Foto: Mats Jonasson.

Foto: Mats Jonasson.

Hortensia. Gravyr i samarbete Mats Jonasson och Lisa Bauer.
Foto: Sten Robért.

Samarbetet mellan de båda naturinspirerade glaskonstnärerna upphörde 1975. Då flyttade Mats tillbaka till Målerås glasbruk.
Jodå, hemlängtan hade hela tiden funnits med i bilden.
Och värst hade det känts 1970, när Mats bara hade varit i Kosta ett enda år.

– Då gick Flygsforsgruppen med Målerås i konkurs, berättar Mats. Sordin lades över samhället. Jag fick information av far, som sin vana trogen hittade ljusningar i bedrövelser. Jag längtade starkt efter att få vara med och kämpa på barrikaderna, men tyvärr fanns inga vapen att slåss med. Att bara stå där som åskådare till eländet gjorde mig mycket illa till mods.
– Dessutom hade ju mitt och andras avhopp faktiskt fått snöbollseffekt, tillägger Mats. Det var ganska många som lämnade Målerås glasbruk i slutet av 60-talet.

De som hoppade av i tid kunde senare trots allt känna sig ganska lyckligt lottade. Efter några år under ledning från Gullaskruf och Älghult hade nämligen Målerås 1975 hamnat i den då nybildade Krona-gruppen.
Då höll det på att gå riktigt illa!

Kronas uppgång och fall

Krona-Bruken AB var, med det småländska Glasrikets mått mätt, en smått gigantisk skapelse. Bolaget etablerades på hösten 1974 genom en fusion av glasbruken i Gullaskruv, Åseda, Skruv, Björkshult och Målerås. Sammanlagt 385 anställda fick lön från huvudkontoret i Skruv.
Som enhet var Krona-Bruken AB näst störst i branschen. Kosta Boda var större, men Orrefors mindre.

Till marknadschef för Krona-Bruken AB utsågs Nils Widlund, tidigare verkställande direktör för glasbruket i Skruv.
Han försökte med en rivstart!
Krona-Brukens nysatsning på vårkanten 1975 fick konkurrenter att darra och handeln att häpna!
Serien Planta med vaser, blomkrukor och amplar spåddes en lysande framtid. Det gjorde också serien Sillsexa, som kom lagom till midsommar.
– Det var välkomponerade och genomtänkta produkter, säger Stig Krantz, som var Krona-Brukens exportchef. Förpackningarna var de elegantaste och mest påkostade branschen hade skådat.
– Dessutom var marknadsföringen runt det hela magnifik!

I den här produktionen medverkade samtliga bruk. Även Målerås således.
– Vi fick faktiskt nyanställa ungdomar för att klara av den förväntade efterfrågan, berättar dåvarande platschefen Rolf Carlsson.
Bara ett halvår senare slog åskan ner.

Royal Krona, 1974–77.

I mars 1976 meddelade ledningen för Krona-Bruken AB att två glasbruk inom gruppen var överflödiga.
Björkshult och Målerås!

Visst hade Planta och Sillsexa fått handeln att häpna. Och dessutom konkurrenterna att darra.
Men serierna hade också gjort konsumenterna skrämda!
Priserna passade inte plånböckerna. När det fina reklammaterialet hade plockats ner från skyltfönstren, låg de flesta varorna osålda kvar på handlarnas hyllor!
Björkshults glasbruk försvann efter en tid för gott. I Målerås fortsatte driften i mindre skala. Kvar blev bara en enda verkstad för manuell tillverkning.

Mats pappa Nils Jonasson i Målerås glasbruks hytta, där han var benmakare.
Foto: Ola Jonasson.

Men dessutom skulle naturligtvis den helautomatiska vannan räddas. Den hade ju året innan basunerats ut som Glasrikets store frälsare. Med den skulle man kunna göra 48 000 dörrknoppar under ett dygn.
– Och en jävla massa gjutna änglar också, berättar dåvarande platschefen Rolf Carlsson!

Två som slapp att gjuta änglar var tvillingarna Nils och Sven Jonasson. 1976 gick de i pension.
Efter vardera femtiotvå års jobb på Målerås glasbruk!
De hade alltid varit mycket skötsamma och plikttrogna. Utom en enda gång!

– Vi försov oss samtidigt båda två, berättar Sven. Så när vi kom till hyttan satt högste chefen, riksdagsmannen Gustaf Rosander, framför ugnen och gjorde våra jobb!

Rosander var en mycket snäll karl.
– Här vill det till att man har ögonen med sig om man skall klara av två mans jobb, var hans enda kommentar!

Mats Jonasson hade alltså återvänt till röran i Målerås från ärevördiga Kosta. I tidningsintervjuer hade Lisa Bauer beskrivit honom som "en glasets poet, ett fenomen på blad och blommor".

Nu möttes han av dörrknoppar och gjutna änglar!

Men Mats hade anställts som formgivare inom Krona-Bruken AB. Och det i tämligen fint sällskap.

Lisa Larsson, Bengt Edenfalk, Anette Krahner, Marianne Westman, Bo Borgström och Kjell Blomberg hette de övriga.

– Bakvägen fick vi reda på att endast tre skulle få vara kvar, berättar Mats. Jag var faktiskt en av dem.

Bakvägen fick Mats också reda på att de kvarvarande formgivarna skulle få betalt efter hur pass kända och berömda de var.

– Synd att jag inte heter Lennart Hyland, passade Mats på att inflika, när formgivarnas ombud berättade detta!

En händelse från Krona-Brukens tid minns man fortfarande mycket väl i Målerås. Den inträffade när företaget var ordentligt i gungning!

Fina bilar rullade upp framför bruksentrén. Ut klev fem direktörer i blå blazrar med Krona-Brukens emblem på bröstfickan.

Väl inne i hyttan beundrade herrarna den tekniske frälsare, som lät gjutna änglafigurer glida som ett pärlband in i kylröret.

– Här gör vi änglar tills fan tar oss, hördes då en röst förkunna!

Det var platschefen Rolf Carlsson.

Rolf anade rätt!

26 april 1977 tog nämligen fan hela Royal Krona. Fyra glasbruk med 265 anställda och en omsättning på 35 miljoner kronor gick i konkurs.

Bristen i kassan beräknades till 17 miljoner kronor!

– Här gör vi änglar tills fan tar oss, sa platschefen Rolf Carlsson. Foto: Hans Runesson.

Målerås glasbruk har trots stormar och ekonomiskt kärva livsbetingelser överlevt i mer än hundra år. Men visst har det många gånger – inte minst vid Krona-Brukens stora fall – varit nära att gå samma öde till mötes som martallen ute på mossen bakom hyttan:

Akvarell: Mats Jonasson.

 olen går ner, månen går upp, tiden går. Den gamla martallen står fortfarande kvar ute på myren som ett monument över ödsligheten. Dock några grenar fattigare.

Akvarell: Mats Jonasson.

Målerås glasbruk 1929, oljemålning av Johan Ahlbäck.

Johan Ahlbäck, självporträtt i olja 1925. Bilden hämtad ur boken "Johan Ahlbäck – Arbetets målare".

Och som den vindpinade martallen ute på myren har också glasbruket seglivat trotsat den ibland bistra verkligheten. Den kände arbetarmålaren Johan Ahlbäck från Dalarna besökte Målerås i slutet av 1920-talet. Med pensel och palett förevigade han den dåvarande gamla hyttans nedslitna exteriör.

Men tio år senare var det gyllene tider för bruket igen och hela samhället blomstrade som aldrig förr.

Fast så tänkte nog ingen när Krona-Bruken gick i konkurs på våren 1977. Då verkade det snarare som om den gamla martallen skulle tappa alla sina grenar!

Det fanns ett guldägg!

Hur kunde det gå så snett?
Platschefen Rolf Carlsson har sin förklaring då det gäller Målerås.
– Den helautomatiska vannan var ett enda stort fiasko, säger han. Färgbyten som skulle klarats av på några dagar tog istället veckor att genomföra!

Detta hårda omdöme får också starkt stöd från högsta akademiska håll. Bengt Johannisson, professor i företagsekonomi vid högskolan i Växjö, lade nämligen 1980 fram sin doktorsavhandling vid Göteborgs universitet. Den hette "Den organisatoriska smältdegeln" och handlade delvis om Krona-fusionen och Målerås.
– När vannan i Målerås äntligen började fungera, hade marknaden försvunnit, konstaterar professorn helt kort i sin avhandling.

Men det fanns inom gruppen en mycket speciell nyhet som kunde ha räddat hela tillställningen.
Mats Jonassons numera så välkända djurreliefer!
Den ständige gravöreleven hade nämligen börjat experimentera i hyttan efter hemkomsten till Målerås. Och snart kunde han visa upp en liten kollektion. Det var uttrar, isbjörnar och sälar.

– I princip var de gjorda på samma sätt som vi arbetar i dag, berättar Mats. Men sedan dess har vi utvecklat och förfinat metoderna.
Och det fanns mer i skafferiet också. Det har framtiden visat. Relieferna och ateljéserierna

hade redan då börjat växa fram i bakhuvudet på Mats.

Begrep höjdarna inom Krona-Bruken AB att det fanns ett guldägg i Målerås?
Ja, i varje fall marknadschefen Nils Widlund och exportchefen Stig Krantz.
Herrarna har – trots Kronas djupa fall – dokumenterat goda näsor för vad som går att sälja i glasbranschen.
– Både Nils och jag tände på alla cylindrar, berättar Stig Krantz. Mats entledigades på stående fot från gravörjobbet. I stället fick han helt fria händer att utveckla en större kollektion i den nya tekniken.

– Sedan Mats Jonassons nya kollektion nått ut på marknaden, gick Målerås som enhet bra också under Krona-åren, fortsätter Stig Krantz. Om där inte funnits så många lik i lasten, är det fullt möjligt att Målerås hade kunnat bli koncernens lycka.
– Men det skedde tyvärr en hel del helt osannolika misstag och felbedömningar på andra håll inom gruppen, avslutar han. Dessutom hade vi otur med konjunkturen.
– Efter 1975 bar det ordentligt utför!

Det var i samband med konkursen i april 1977 som Mats Jonasson börjar agera som Robin Hood!
Om han inte till fullo visste sitt värde, så hoppades han i varje fall att det skulle tåla en hel del.
Så när konkursförvaltaren, advokat Magnus Ekberg från Jönköping, försökte hitta nya

Lekande uttrar, kristallrelief Mats Jonasson. Foto: Per-Olof Pettersson.

ägare, komplicerade gravöreleven situationen ordentligt.

– Sälj till vem du vill, sade han sturskt. Men upphovsrätten kan ingen ta ifrån mig. De av mig formgivna produkterna skall endast tillverkas här!

Det här gjorde naturligtvis inte tillvaron enklare för konkursadvokaten. Och själv hade han komplicerat den ytterligare.

– Magnus ville rädda så många arbetstillfällen som möjligt, berättar Mats Jonasson. Därför

gjorde han ett paket av glasbruken i Målerås och Skruv. För att komma över den lönsamma produktionen i Målerås, skulle en köpare således också vara tvungen att ta hand om det betydligt större men också mindre lönsamma Skrufs glasbruk. Det var snällt tänkt, men han sockrade ju inte på något sätt affären!

Magnus Ekberg och Mats Jonasson hade stundtals hårda diskussioner om Målerås framtid.

– Soldater och advokater är djävulens lekkamrater, sade Mats vid ett tillfälle till konkursför-

Lom, kristallrelief Mats Jonasson. Foto: Per-Olof Pettersson.

valtaren efter ett överraskande utspel.
Uttrycket hade han lärt sig av sin farfar, den
mustige eldaren Alfred på växelloket Pysen!

Till slut blev det ändå affär. Inspiratören och
glasbrukspatronen Erik Rosén köpte i septem-
ber 1977 Målerås och Skruf för Kosta Bodas
räkning.
– Första tanken var nog att försöka få över
Mats Jonassons reliefkollektion till den konti-
nuerliga vannan i Kosta, erkänner Rosén. Men
när det visade sig att hans reliefer krävde

manuell iläggning, fanns det ingen anledning
att sätta sådana planer i verket. Målerås glas-
bruk tjänade ju pengar på egen hand.

Därför skrev Erik Rosén i december 1977
under ett personligt formgivaravtal med den
ständige gravöreleven. Mats Jonassons djur-
reliefer i kristall skulle enbart få tillverkas i
Målerås.
Detta papper har visat sig vara oerhört bety-
delsefullt för hela Målerås framtid.
Och det var Robin Hoods första stora seger!

Men det var långt ifrån lätt att behålla det land som erövrats. Kostacheferna försökte ständigt med rackarknep.

Till och med Erik Rosén. Han hade ju ansvar för hela koncernen och tyckte naturligtvis att en krånglande formgivare på det minsta bruket var – milt uttryckt – irriterande!

– Målerås fick en ganska stor beställning på reliefer från en engelsk kund, berättar Mats. Den försökte företagsledningen bolla över till den nybyggda vannan i Kosta.

– Först sedan man hade misslyckats där, gick budet tillbaka till oss i Målerås!

Och värre blev det sedan Erik Rosén 1978 hade lämnat chefskapet i Kosta. Han förflyttades – mycket motvilligt – upp till ägarföretaget Upsala Ekebys huvudstyrelse i Stockholm.

I Kosta började man därefter till- och avsätta chefer på löpande band. Olika personligheter med olika bakgrunder, naturligtvis, men ett hade de gemensamt:
De såg stordriftens filosofi som den enda lösningen för Glasrikets hyttor.

– Med ett sådant synsätt fanns det naturligtvis ingen plats för lilla Målerås, berättar Mats. Det fanns för mycket av ekonomisk teori och för lite kunskap om de olika brukens möjligheter.

– Så naturligtvis ville de åter flytta produktionen av mina reliefer. Övertalningsförsök övergick ofta i hot.

– Och då fick jag varje gång vifta med mitt värdefulla formgivarkontrakt!

Nedläggningsplanerna gick till och med så långt att Kosta Boda i oktober 1979 sålde bruksfastigheten i Målerås till Nybro kommun.

Och dagen före julafton 1980 släcktes ugnarna. Kostaledningen räknade nog med, att de styvnackade patrioternas attityd skulle vekna.

– Det var det absoluta bottenläget, berättar Mats. På julafton stod vi i hyttan och väntade på besked om framtiden från högsta Kostachefen i Uppsala. Men han fick inte störas i julfriden.

– Det lät han hälsa genom sin fru, när jag sökte honom på telefon!

Men humorn fanns fortfarande kvar. Ugnarna hade släckts och glasarbetarna stod där lika förtvivlade som uppretade i hyttan.

– Får jag besvära om en god jul, sade smältaren Rune Lindahl, när han gick förbi!

Det är naturligtvis händelser av det här slaget, som har skapat det man nu kallar Måleråsandan. I femton år – först under Flygsforsgruppen, sedan Krona-Bruken och därefter under Kosta Boda – hade glasarbetarna i Målerås levt med ständiga nedläggningshot.

– Nu satsas det hårt igen, sade Mats pappa Nils en gång i början av 70-talet. Bruksledningen har bestämt sig för att måla om en dörr. Så nu får vi säkert finnas kvar ett halvår till!

Pappa Nils fick aldrig uppleva det märkliga, som nu skulle ske. Efter en tids sjukdom avled han på långfredagen 1979.

Men en gång i tiden dödsdömda mamma Maj-Britt fick vara med!

När enda barnet Mats och några andra eldsjälar i Målerås år 1981 tog över ägarskapet och ledningen för ett glasbruk, som under en längre tid hade befunnit sig i dödsskuggans dal.

Men som sedan spirade och så småningom blev ett av de mest livskraftiga bruken i hela det småländska Glasriket!

Patrioterna tar över

Patrioternas styrelse. De sju herrarna, tagna av stundens allvar, är från vänster Leif Lindqvist, Owe Magnusson, Göte Engdahl, Rolf Carlsson, Magnus Ekberg, Stig Krantz och Mats Jonasson. Foto: Hans Runesson.

Så slutade nämligen detta, för samtliga Måleråsbor, mycket påfrestande nerv- och ställningskrig. Den 29 januari 1981 skrev helt nye verkställande direktören Björn Swärdsson vid Kosta Boda under ett historiskt avtal. Det gjorde Målerås till ett fristående glasbruk, ägt av anställda och bybor. Efter femton år av ständiga uppköp, fusioner och konkurser. Det här var den då lika vildvuxne som tjurige och envise Robin Hoods andra stora seger!
– Det är svårt att sia om vilket som långsiktigt är bäst för Målerås, säger Mats Jonasson nu.

Men efter en blick i historiens backspegel säger logiken, att bruket bör förvaltas av patrioter. Det gäller i allra högsta grad även i dag.

Två av samhällets största patrioter, gravöreleven Mats Jonasson och platschefen Rolf Carlsson, köpte 1981 tjugofem aktier var i det nykonstruerade företaget. De kostade tusen kronor stycket. De tolv andra anställda – hela företaget bestod nu endast av fjorton personer – satsade mellan fem och tiotusen kronor per man.

67

Måleråsborna har upplevt många ägarbyten vid bruket. Men deglarna, som rymmer den glödande kristallmassan, måste bytas ännu oftare. Tuschlavering: Mats Jonasson.

– När vi sökte ett så kallat industrigarantilån krävde staten större säkerhet, berättar Mats. Myndigheterna ansåg att vårt aktiekapital på 250 000 kronor var 100 000 kronor för litet.

– Vi behövde låna mer än två miljoner kronor för att komma igång, fortsätter Mats. De flesta var medvetna om riskerna. Kosta Boda förfogade ju över större delen av det sortiment, som vi nykomlingar övertog delar av. Optimismen var emellertid starkare än expertisens farhågor. Många Måleråsbor hoppades!

– Så vi gick ut med håven i samhället. Åttio Måleråsbor och supportrar i förskingringen

tecknade på någon månad tillräckligt många aktier och räddade därmed affären!

Det säger en hel del om stämningen i samhället. Och bäst uttrycktes den av platschefen Rolf Carlsson i slutfasen av ställningskriget mot Kosta Boda.

– Vi dör hellre med flaggan i topp än lever med mössan i näven, sade han till en av de många stordriftsbesjälade direktörerna i Kosta. Orden tillhör numera de bevingade i Målerås.

Avtalet skrevs alltså under den 29 januari 1981. Det trädde i kraft den 1 april samma år. Priset för rörelsen var åttahundratusen kronor.

Sälunge. Kristallrelief: Mats Jonasson.

För dessa pengar fick lokalpatrioterna glasbrukets utrustning. Dessutom lager och tillverkningsrätt för åtta av Mats Jonasson formgivna produkter från Krona-epoken och Kosta Boda-tiden.
Köparna fick själva välja!

– Det var inte speciellt svårt, säger Mats. Stig Krantz blev exportansvarig och som tidigare exportchef hos Krona-bruken visste han vilka reliefer som var attraktiva på marknaden. Bland de åtta utvalda relieferna fanns blocken med isbjörnen, den vithövdade örnen, sälungen och elefanterna.

Det här var och är fortfarande både hantverksmässig och ideologisk hårdvaluta. Intresset för djur och natur finns naturligtvis inbyggt i den påtagligt miljövänliga vind, som numera ständigt sveper över allt större områden på jorden.

Mats Jonasson i Målerås har i klaraste kristall förevigat många varelser ur de vildas rike. Han har gjort det med stor inlevelse, mycket sympati och varm beundran.

Men hans inställning till människan är i alla lägen inte så fylld av beundran. På nästa uppslag ger han sin förklaring:

*E*n gammal filosof har sagt: Ju mer jag lär känna människorna, desto mer tycker jag om min katt!
Dessa ord manar till eftertanke.

Evolutionen har under årmiljoner möblerat om vår flora och fauna. Dront, mammut och tyrannosaurus rex är exempel på arter, som inte längre finns. Noshörning, människa och delfin existerar fortfarande.

Alla arter har olika förutsättningar, beteenden och vanor. Även bönsyrsan har fått leva vidare, trots sin populationshämmande livsstil. Den aggressiva honan äter ofta upp hanen efter parningen. Ur mänskliga testosteronstinna hannars perspektiv verkar detta drama vara symptom på bristande självbevarelsedrift i kombination med hög tolerans.

Vad säger Jämo om detta?

Är bönsyrsans femininum en insekt med insikt?

Trots detta makabra exempel undrar jag om inte människan med sitt liv och leverne är den existens, som mest av alla hotar den egna och andra arters framtid. Även om de flesta av oss vill framstå som kultiverade humanister.

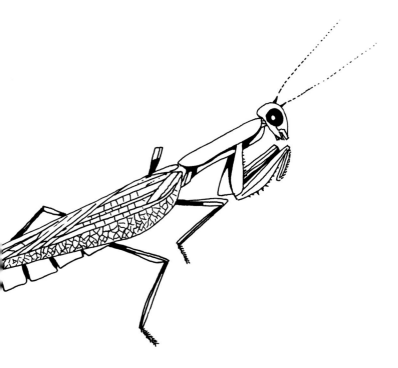

Sarajevo februari 1994.
Akvarell: Mats Jonasson.

Vithövdad örn. Kristallrelief Mats Jonasson.
Foto: Per-Olof Pettersson.

När det gällde Målerås glasbruks framtida existens vid övertagandet 1981 var den naturligtvis inte på något sätt ohotad. Men bland alla paragrafer i avtalet med Kosta Boda fanns en lika viktig som hoppingivande passus:

Mats Jonasson skulle under de två sista månaderna fram till 1 april 1981 frikopplas helt från sitt arbete åt Kosta Boda. Det fristående brukets första kollektion måste ju förberedas! Men den var faktiskt redan väl förberedd!

Mats hade nämligen långt tidigare gjort några till nittio procent färdiga och mycket väl genomarbetade prover!
– Bland annat ekorren och haren, berättar han nu. De visade sig gå fint på marknaden båda två!

Och det gjorde inte helt oväntat de åtta andra utvalda relieferna också. Så nytändningen i Målerås fick en flygande start!
Relieferna marknadsfördes med Mats

Jagande vargar. Kristallrelief Mats Jonasson.
Foto: Per-Olof Pettersson.

Jonassons namn och signatur. Först i Sverige och sedan i England. Därefter erövrades i rask takt övriga Europa, USA, Australien, Kanada och arabländerna!

Hur kunde det gå så bra för det lilla glasbruket? Och framför allt:
Hur kunde det gå bra så fort?
Jo, först och främst naturligtvis tack vare Mats Jonassons djurreliefer. De visade sig vara just de högklassiga hantverksprodukter,

som konsumenterna ville ha. Och hade råd med!
Och den upptäckten kom egentligen inte på något sätt överraskande. KronaBrukens marknadschef Nils Widlund och exportchef Stig Krantz hade ju i mitten av 70-talet till och med fått förvalta ganska stora statliga pengar för att bygga upp ett slagkraftigt, internationellt försäljningsnät för gruppens räkning. Relieferna hade således redan testats på världsmarknaden. Och blivit mer än godkända!

Gravyr: Mats Jonasson.

Kjell-Olof Feldt.

En solig dag i mitten på 80-talet hedrade dåvarande finansministern Kjell-Olof Feldt det löntagarägda glasbruket i Målerås med ett besök. Han betraktade nyfiket brukets djurreliefer. Dessutom intresserade sig ministern för gravyrer med trollsländor och grässtrån. Mats tillfrågades;
– Inspireras du enbart av djur och natur?
– Den här kan väl studeras av finansministrar, svarade Mats och visade upp vasen med den graverade deklaranten, som klockan 23.55 bland siffror och paragrafer lägger pannan i djupa veck.

– Jag flyttade med när Krona-Bruken gick i konkurs och Kosta Boda tog över, berättar Stig Krantz. Men det innebar inte att jag släppte mina internationella kontakter.
– Andra tider kunde ju komma!

De kom också i ett annat mycket viktigt hänseende. Konjunkturen vände uppåt.
Lyckligtvis ungefär samtidigt som det efterlängtade avtalet skrevs under!
Och inte nog med det. Dollarkursen fick ytterligare en rejäl skjuts uppåt 1982. Då devalverade den nytillträdda socialdemokratiska regeringen den svenska kronan med 16 procent!

För ett så exportinriktat glasbruk som Målerås var det rena rama mannan från himlen! Försäljningen ökade. Från fem miljoner kronor 1981 till sju miljoner 1982.
Och nästan tio miljoner kronor året därefter!
För varje bokslut blev dessutom vinsten större.

Mats får sysselsättningspriset ur Curt Nicolins hand.

Så det en gång i tiden så svåråtkomliga industrigarantilånet kunde avvecklas. Och checkräkningskrediten på en miljon kronor hos Sparbanken Kronan i Nybro behövde aldrig utnyttjas!

Gissa om glädjen och stoltheten var stor hos den arbetsamma personalen på Målerås glasbruk, som nu var uppe i hela tjugofem personer!

Mats Jonassons lika envisa som tjuriga kamp hade alltså inte enbart räddat jobb i Målerås.

Den hade skapat nya också.
– I varje fall nygamla, säger Mats lite anspråkslöst. En gång i tiden fanns här ju nästan tvåhundra anställda!

Så år 1983 fick den ständige gravöreleven tillsammans med hustrun Eva åka upp till Stockholm. För att äta gott och träffa fint folk på Operakällaren.

Mats tilldelades Trygghetsrådets sysselsättningspris. Det fick han ta emot ur Asea-direktören Curt Nicolins hand.

Hedersgåvan hade pristagaren själv gjort!

Mats delade ena halvan av priset med starkt sysselsättningskapande innovatören Sven Santén från SKF Steel i Hofors. De fick 62 500 kronor var.
Den andra halvan på 125 000 kronor fick ilandgångne sjökaptenen Christer Ericsson. Han hade 1971 grundat det lilla företaget Consafe, som sedan växte sig stort och skapade arbete åt tusentals personer.

Som bekant gick detta företag samma bittra öde till mötes som Målerås glasbruk under

Krona-Bruken AB:s tid. Och som bekant gjorde Christer Ericsson då precis som Mats Jonasson i Målerås gjorde.
Tutade iväg på delvis egen hand mot en ny, spännande framtid!

Till prissumman fick de tre sysselsättningsskapande herrarna ytterligare en hedersgåva av Trygghetsrådet. Var sin uggla i glasrelief.
Signerade av Mats Jonasson!
– Det är den enda glaspjäs jag har av mig själv där hemma, säger Mats!

Kulturpris och Nationalmuseum

*M*edaljen glänser endast hemma i byrålådan. Den gör sig bättre som ett hedrande minne än som dekoration kring min hals. Är det majestätsbrott att gömma den? På en före detta fotbollsbuse kanske medaljens baksida istället visar sig.

Vid platt fall har den högmodige långt till marken.

Mats Jonasson blir självklart både glad och stolt när han får ta emot utmärkelser av det här slaget. Så han tackar naturligtvis inte nej. 1992 var han i Stockholm och tog emot Kungliga patriotiska sällskapets medalj i guld "för gagnerik gärning inom svenskt näringsliv".
Men Mats är inte så förtjust i själva utdelningsceremonierna. Han gillar inte offentlighetens ljus!

Mats trivs bäst när han får strosa omkring på Gråstensmon. Dessutom mår han bra av en stunds samvaro med Bach, Vivaldi och tvärflöjt.
Att åka till Stockholm för att hämta ett pris stjäl tid från detta!

Det är därför han till exempel aldrig någonsin har besökt den stora glasmässan i Frankfurt. Trots att han med all säkerhet skulle betraktas som ett synnerligen intressant namn där.

Och det är också därför det ibland kan bli bataljer med den egna marknadsavdelningen i Målerås. Att använda superlativer om Mats och hans produkter är ju lika lätt som lockande!

Offentlig utsmyckning har Mats sällan ägnat sig åt. Han är definitivt ingen monumentbyggare.
Den avdelningen tycker han att naturen själv sköter alldeles utmärkt, något som han bevisar med sina bilder så här:

Impulsgivare I. Foto: Mats Jonasson.

*M*änskligheten har genom tiderna rest statyer över sina heroiska bedrifter. På de flesta av våra städers torg står objekt som påminner oss om forna tiders stordåd och stora män.

När vi ser hur världen ser ut i dag tycker nog de flesta att det inte finns så mycket att bygga monument över. Men vi vill ändå ha någonting som attraherar synsinnet och förfriskar ögat i vår grå betongvärld.

Ibland träffas kulturens ambassadörer – kommunala förvaltare och styresmän – för att besluta om utsmyckning av något byggnadsverk eller offentligt utrymme. Många förslag diskuteras och många åsikter framförs. Alla alternativ utom ett refuseras.

Med tanke på att tidens tand och stadens fågelflockar patinerar mänskliga innovationer borde naturens egna skapelser bli livgivande alternativ till övriga förslag.

> *Trädet kan bli en spännande skulptur.*
> *Med vindens hjälp en intressant mobil.*
> *På hösten en färgupplevelse.*
> *Vårsol aktiverar livets embryon.*
> *Saven stiger. Knoppar brister.*

Trädet blir en syregivande lunga av klorofyll, som friskar upp arkitekters geometri i glas och betong.

78

Impulsgivare II. Foto: Mats Jonasson.

Pressglasserien Glacia. Bild ur Nationalmuseums presentation.

Men visst har Mats tacksamt tagit emot några fina utmärkelser, som han har där hemma. En hedersbetygelse som han minns speciellt var Nybro kommuns kulturstipendium.

"För sina nya, friska idéer inom glaskonsten, sina viktiga insatser inom bygdens musikliv och sina strävanden att gagna hemortens industri. Han är även en fin målare".

Så löd kulturnämndens motivering.
– Det var en uppmuntran i all bedrövelse, säger Mats. Jag fick priset 1978, när kriget mot Kosta Boda rasade som värst. Dessutom strax innan min far avled.

Och ännu gladare blev Mats på hösten 1983. Då erkändes han som de riktigt stora formgivarnas jämlike.
Hans glas ställdes ut på Nationalmuseum i Stockholm!
Alla formgivare i Glasriket var av Statens Industriverk inbjudna att delta i en designtävling. "Svenskt glas - Prisbelönt design" kallades den. De osignerade bidragen skickades in anonymt.

Till denna prestigefyllda tävling hade Mats bland annat tagit fram några centrifugerade skålar med blästrad kant. Han kallade dem för Embryo.

Dessa skålar gillade juryn. Tillsammans med nio andra glaspjäser valdes Embryo ut som tävlingens bästa bidrag.
I det fina sällskapet fanns idel ädel glasadel: Ulrika och Bertil Vallien från Åfors, Monica Backström och Kjell Engman från Boda, Olle Alberius, Gunnar Cyrén och Anne Nilsson från Orrefors, Anna Ehrner från Kosta och Ingegerd Råman från Skrufs glasbruk.

Juryn skulle inte bara bedöma föremålens designinnehåll. Den skulle också ta hänsyn till bidragens kommersiella förutsättningar på en stenhård världsmarknad.

– Jag hade skickat in pressglasserien Glacia till tävlingen också, berättar Mats. Den kom aldrig med bland de vinnande bidragen. Men för Målerås glasbruk blev serien en icke oväsentlig del av försäljningen. Och vi tillverkar den fortfarande!

Segerskålen Embryo. Bild ur Nationalmuseums presentation.

Segerskålen Embryo kom däremot aldrig i produktion. Bland annat därför att utrustning för en rationell tillverkning inte fanns på glasbruket då.

Produktionsapparaten var nästan helt anpassad för reliefer och dessa hade blivit efterfrågade handelsvaror på världsmarknaden. De ekonomiska förutsättningarna för exportsatsningar kunde ju knappast ha varit bättre än de var då.

– Den kraftiga svenska devalveringen gav vår försäljning till utlandet en extra skjuts framåt,

berättar Mats Jonasson. Målerås glasbruk gick på högvarv.
– Ändå hade vi svårt att hinna med alla exportleveranser!

Bra tider således i det så många gånger tidigare dödsdömda lilla samhället vid Gråstensmon. Och en som verkligen gladdes över sonens och glasbrukets framgångar var Mats Jonassons egen mamma Maj-Britt.
Hon avled dock på hösten 1985. Dödsdomen hade Maj-Britt fått exakt fyrtio år tidigare, då enda barnet Mats föddes.

Auktoritet. Väggrelief av Mats Jonasson. Foto: Roland Bergman.

*N*ästan alla människor går genom tiden utan att lämna spår efter sig. Några få gör intryck på eftervärlden och dokumenteras av historikerna. Är det bara presidenter som är av betydelse?

Även myran drar sitt strå till stacken. Alla individer är länkar i generationernas kedja.

Uppfinnaranda och knep

Patrioterna samlade på bruket 1981. Foto: Hans Runesson.

Det fanns emellertid några mörka moln på himlen för de tappra patrioter, som 1981 tog över drift och ansvar på Målerås glasbruk. Mer nedslitna och fallfärdiga lokaler var nämligen svåra att hitta i hela Glasriket!

Vid presskonferensen i samband med övertagandet 1 april såg sig en av de församlade journalisterna omkring i hyttan.
– Hur skall ni kunna arbeta här? frågade han.
– Det vore ju bättre med ett tält!

"Tältet". Foto: L E Carlsson

Magic Face. Gravyr och foto: Mats Jonasson.

Till denna gravyr har Mats Jonasson bland annat begagnat ett verktyg, som inte låter så glasvänligt – en slaghammare!
Formgivare Ingeborg Lundin, som ritade glas för Målerås under några år, var på besök när slaghammaren var aktiv.
– Hur kan du stå ut med detta? frågade hon.
– Man får offra sig för resultatet, svarade Mats!

Men arbeta kunde man i Målerås. För ackumelerad kraft fanns det gott om.
Och den släpptes nu loss med full styrka!
Precis som mustige eldaren Alfred en gång i tiden hade visat växelloket Pysens fulla styrka till Växjöstudenternas stora förvåning och fasa uppe på backkrönet vid Målen.
Glasshopen målades om på fritiden. Och dagskassan kollades mycket intresserat av samtliga fjorton anställda aktieägare efter den, många gånger, extra långa arbetstidens slut.
Entusiasmen glödde inne i "tältet", där de nya ägarna slet hårt vid ugnarna med – en hel bygd som hejarklack!

Och om inte konkurrenterna direkt förfasades, så blev i varje fall förvåningen stor, när de nya ägarna redan den 11 maj 1981 i Stockholm packade upp glasbrukets kollektion.
Femtiotalet nyheter, alla signerade av Mats Jonasson, presenterades för företagets svenska och utländska agenter.
Här fanns de fina grejer, som var värdiga den glödande entusiasmen både i hyttan och bland bygdens nyblivna aktieägare.
Att göra fina grejer kan emellertid vara farligt.
För många bruk i det småländska Glasriket har vackert slipade eller graverade vinglas och skålar i helkristall enbart betytt en död i skönhet.
Mats Jonasson visste detta. Han hade gått i glasets grundskola i både Målerås och Kosta.
Så det nya löntagar-och samhällsägda glasbrukets produkter var både välarbetade och fina, dessutom gjorda av dyraste sortens kristall.
Men priserna skrämde inte bort kunderna.
Och där i ligger en stor del av förklaringen till Målerås glasbruks smått fantastiska framgångar under de senaste femton åren!
Visst kan man säga att Mats Jonasson kommit på en del knep, men man kan lika väl kalla det uppfinnaranda inom ett mycket speciellt hantverk.
– Vi gör så komplicerade grejer att vi nästan själva inte klarar av dem, säger man i Målerås.
– Och vi gör dem till säljbara priser!

Det är den här svåra ekvationen Mats Jonasson har löst så klurigt och bra. Han har fått hantverk, känsla och fantasi i den ena vågskålen att balansera med försäljning, marknad och ekonomi i den andra.
Från Målerås har det därför – år efter år sedan 1981 - kommit högklassiga hantverksprodukter till säljbara priser.
Risken för en död i skönhet har - trots vackert och välarbetat glas – hela tiden verkat mycket avlägsen!
– Men det är inte säkert att dagens framgångar garanterar en positiv framtid, säger Mats, som mår bäst med båda benen på jorden.

Att i detalj förklara Mats Jonassons metoder eller innovationer skulle vara något för en tysk doktor att bita i. "Eine kurtze Einführung ..." på några tusen sidor vore säkert mycket motiverad.

Men Mats själv pratar ogärna om sitt sätt att arbeta. Inte för att det på något sätt är hemligt, utan därför att det just är så komplicerat att han nätt och jämnt klarar av det själv.
– Om någon åker till månen, så är ju resan dit det viktigaste, säger Mats. Inte kunskapen om hur sinnrikt raketens noskon är konstruerad.

Så Mats blir sällan glad när det skrivs om hans arbetsmetoder. Varken i tidningar eller i brukets egna broschyrer.
Men några detaljer i Målerås-raketens noskon måste helt enkelt förklaras. Här följer Mats Jonassons egen beskrivning:

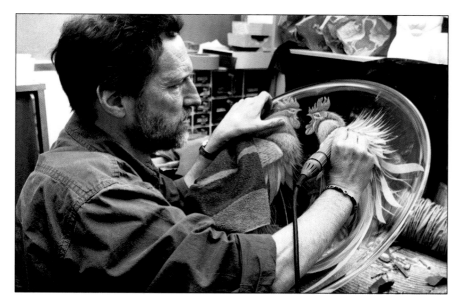

Mats använder ofta enkla verktyg. Foto: Johan Jeppsson.

*F*örst gör jag en enkel linjeteckning av motivet. Därefter över-
förs bilden på ett formämne, som bör vara tätt och homo-
gent. Gips är ett utmärkt material, eftersom det låter sig
bearbetas av de flesta verktyg.
Även mina enklaste redskap sätter sina spår i denna vita materia.
Utöver slipverktyg och fräsar använder jag egenhändigt gjorda mejslar,
nålar och krokiga spikar. Ingen högteknologi i världen kan mäta sig
med dessa prylar när det gäller gipsbearbetning.
Dessutom brukar formmakare Bror Johanssons gamla gröpjärn medver-
ka i den inledande operationen. Detta verktyg, som karvat i många ale-
kubbar, passar perfekt i handen.
Redskapsarsenalen är betydelsefull. Därför är det viktigt att hålla ord-
ning på grejorna. Jag vet var verktygen finns, även om den kaotiska
röran på mitt arbetsbord indikerar motsatsen.

De flesta formmakare gör nog sina modeller i lera eller bearbetar ämnet
med skulptörens teknik. Materialet mejslas bort för att frilägga det
kroppsliga objektet.
Jag gör tvärtom! Mejslar istället bort kroppen, så att ämnet blir som en
gjutform inifrån.

När modellen är färdig görs en gipsavgjutning, men även efter denna
procedur kan jag ändra och justera. När denna avgjutning är granskad

och godkänd, krävs ytterligare en gjutning, denna gång i gjutjärn, ett betydligt hårdare och värmetåligare material.

Det är viktigt att avgjutningen i denna metall blir tydlig. Annars kompliceras det fortsatta arbetet. När järnformen skall bearbetas krävs modern teknologi.

Då duger inte den krokiga spiken!

När formen är klar börjar en ny, spännande process. Då får glasarbetarna i hyttan visa sina färdigheter. Den smälta kristallen fångas an med en stålkula på skaft. Flinka händer sätter verktyget i rotation. Degelns glödande materia fastnar runt kulans sfär. Några ögonblick senare ligger den heta massan i formen. Järnets struktur gör tydliga avtryck i det smälta glaset!

När massan har stelnat överförs objektet till en kylugn. Där sjunker temperaturen långsamt och först efter sexton timmar kan vi hålla den kristallklara reliefen i handen.

–Därefter följer noggrann avsyning. Endast förstklassiga ämnen godkänns.

Efter den varma hanteringen i hyttan inleds ett omfattande förädlingsarbete. Slipare, blästrare, polermakare och gravörer ger nu reliefen en annorlunda karaktär. Många omsorgsfulla händer och ögon medverkar, innan skärpan i ugglans blick och strukturen i lokattens päls blir tydlig.

Många har frågor om hantverket. Medan andra undrar över metodiken. Ordet hantverk har image av värde och används därför ofta i rent PR-syfte.

Jag tycket att detta kan diskuteras. Hantverket kan ju vara dåligt. Andra metoder kanske kan mäta sig med handens.

Utvecklingen av nya metoder, verktyg, maskiner och robotar öppnar ständigt nya möjligheter för den nyfikne innovatören. Mycket kan åstadkommas med modern teknologi.

Men vi bör komma ihåg att det är ögat som kritiskt granskar och slutligen dömer objekten. Oavsett om de är gjorda med handen eller med den rationella maskinens hjälp.

Visst har en säker hand stor betydelse. Men utan ögat kommer den inte långt. Och det är viktigt att välja den närmaste vägen till målet. Visst kan man beundra en pianist som spelar Für Elise med fötterna.

Men det är ju inte säkert att musiken låter bättre.

*F*ör några år sedan fick jag det ovanliga uppdraget att avbilda
och förstora ett mycket gammalt mynt. Jag överförde bilden
av dalern på en lättbearbetad grafitplatta.

*Diametern var hela tjugotvå centimeter. Och till mitt förfogande stod
all tänkbar modern utrustning - diamantverktyg, roterande filar, pneu-
matiska och elektriska maskiner.*

*Först graverade jag Gustav Vasa i profil med krona, svärd och riksäpple.
Därefter började jag med den latinska texten. Då väcktes plötsligt en
fråga i mitt sinne.*

*Vad hade mästaren som utförde originalet för verktyg? Den hårda stam-
pen för präglingen gjordes under 1500-talets första hälft och hade en
diameter av tre centimeter.*

*Denna dalers ursprungliga tillkomst manar till försiktighet med ordet
hantverk.*

Pandor och araber

Panda. Kristallrelief Mats Jonasson. Foto: Roland Bergman.

Naturligtvis har Mats Jonassons val av motiv spelat en stor roll för glasbrukets framgångar. Omtanken om djur och natur är ju en av de starkaste krafterna i dagens samhälle, både i

Central Park och Borneos djungler.
Så här har Mats med egen penna uttryckt sin åsikt om förhållandet mellan människa och natur:

Delfiner. Kristallrelief Mats Jonasson. Foto: Roland Bergman.

*M*änniskan är den däggdjursart, som tar för sig mest av det som Moder jord ger. Vi borde därför visa mer hänsyn till våra vänner i flora och fauna. Naturen har skapat olika förutsättningar för alla de arter som finns i vår värld. Det är viktigt för vår egen överlevnad att de får följa oss på vår resa i tiden.
Vi vet att delfinen har stor hjärna och starkt veckad hjärnbark, som enligt våra forskare indikerar hög intelligens. Vad vore vi själva i dag om evolutionen hade utrustat våra extremiteter med klövar istället för händer och fötter?
En sak är säker: det hade inte funnits några flöjtister!

Tornuggla. Kristallrelief Mats Jonassson.

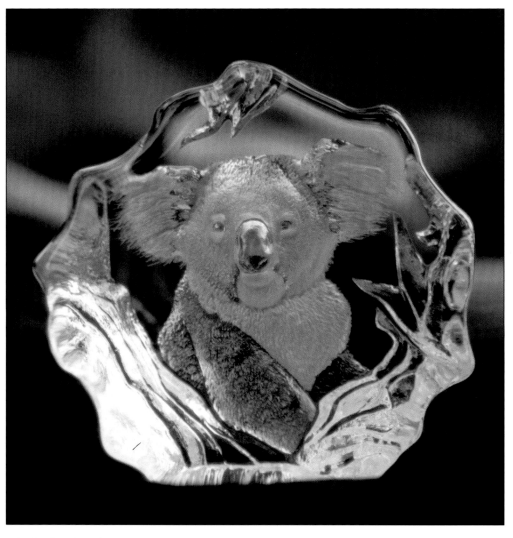

Koala. Kristallrelief Mats Jonasson.

Dessa rättframma tankegångar, kombinerade med kunskap om glaset som uttrycksmedel, har gett Mats Jonasson och Målerås glasbruk mycket fin reklam.
Helt gratis!

Det började nämligen redan 1981, då patrioterna tog över ledningen för bruket. Samma år fyllde Världsnaturfonden tjugo år.
Till detta jubileum beställde fonden glasreliefer för en halv miljon kronor i Målerås. Det var tio procent av brukets dåvarande omsättning!
Motivet var den utrotningshotade pandan. Med unge dessutom!
Av varje såld pandarelief gick en viss bestämd summa pengar till Världsnaturfondens kamp för att rädda utrotningshotade djur i världen.
Vilken tidning, radio- eller TV-station kunde låta bli att rapportera om sådant?
Och så fortsatte beställningarna från Världsnaturfonden. Pandan följdes av tigern, som i

Lejonungar. Kristallrelief Mats Jonasson.

sin tur följdes av serien Ungt liv med djurungar i kristall. Det gällde bland annat koala, räv och lejon, representerande jordens alla hörn. Varje världsdel fick sin favorit från Målerås!

Och det fick engelska villaägare också. De utsattes i en kampanj för krav på djurvänligare trädgårdsskötsel!
Till detta, i engelsk press mycket omskrivna projekt, beställdes tre reliefer från Målerås. Motiven var tornfalk, näktergal och blåmes –

tre vanligt förekommande fåglar i engelska trädgårdar.
– Upplagorna var inte speciellt stora, berättar marknadschef Stig Krantz. Det rörde sig bara om fyra-femtusen stycken av varje.
– Men relieferna spreds via en varuhuskedja med cirka åttahundra butiker i landet, så kampanjen fick stor publicitet i massmedia. Mats Jonasson blev ett känt namn i hela England. Det handlade om gratisreklam för hundratusentals kronor!

Kung Feisal. Kristallrelief Mats Jonasson.

Det gjorde det säkert också i Sverige något år senare. Då lät nämligen saudiarabiska kungligheter avporträttera sig här. I kristallreliefer, Made By Mats Jonasson In Målerås.
Gissa om det skrevs i tidningarna!
Kungarna Feisal, Saud, Khalid och Fahd förevigades i klar kristall. Pengar för deras porträtt flöt in till Målerås. Och det gjorde det för andra reliefer med arabiska ornament och moskéer också.
Speciellt en!

– Jag minns beställningen mycket väl, berättar Mats Jonasson. En nybyggd moské skulle invigas. Saudierna ville ge prominenta gäster en bild av den i kristall!
Tiden var knapp. För att hålla leveranstiden

måste Målerås kopierfräsa formen. Det är en mycket dyrbar metod, som kräver stora upplagor om inte formkostnaderna per styck skall bli för höga.
Saudierna beställde elva moskéblock!
Smålänningarna konsulterade omedelbart köparen och förhörde sig om de ekonomiska förutsättningarna. Svaret kom lika omedelbart per fax.
– Formkostnaderna spelar givetvis ingen roll i detta sammanhang!

Rätt motiv i rätt tid betyder naturligtvis mycket. När Volvo introducerade 760-modellen i början av åttiotalet, fanns den superhemliga bilen redan avbildad på glas i Målerås!
– Mot ett underskrivet tystnadslöfte, berättar

Bävern, Ångermanlands landskapsdjur. Kristallrelief Mats Jonasson.
Foto: Roland Bergman.

Mats Jonasson. Jag var en av mycket få utvalda personer här i världen som visste hur bilen såg ut före presentationen.

Och samma sak var det i mitten av åttiotalet, då de svenska landskapsdjuren introducerades.
– Vi hade dem redan alla i vår kollektion, berättar Mats. Utom ett, Blekinges ekoxe!

Löntagar- och samhällsägda Målerås var alltså ett bruk på bettet. Och det märktes redan på första bolagsstämman 1982.
En vinst på 250 000 kronor kunde rapporteras. Dessutom att sjutton anställda nu omsatte fem miljoner kronor.
Verkställande direktören, Bob Nilsson, läste väldigt stolt och mycket fort upp alla fina siffror. Den formella stämman avverkades på nolltid.
– Aldrig mer tar jag på mig finkostymen för endast åtta minuters högtidligheter, sade polermakaren och nyblivne aktieägaren Gillis Erlandsson efter sitt livs första bolagsstämma.

Men han var med på femårsjubileumet 1986 också. Och fick då höra att bruket hade 60 anställda som omsatte 25 miljoner kronor.
Två år senare var motsvarande siffror 70 och 30!

Pengar flöt alltså in. Och det behövdes verkligen.
Journalisten hade inte haft fel, när han 1 april 1981 påpekade att ett tält vore bättre.

Målerås glasbruk efter investeringarna på 1980-talet. Foto: Åke Dolk.

1984 inleddes en investeringsvåg på Målerås, som blev en av de kraftigaste i brukets mer än hundra år gamla historia.
Och som pågår än i dag!

Man började med att riva den gamla nötta träbyggnaden, som tidigare inrymt kontor, utställning och packbod. På dess plats uppfördes den nu befintliga betongbyggnaden i två och ett halvt plan. Där finns nybyggt kontor och renoverad shop i markplanet. Dessutom en av Glasrikets elegantaste utställningshallar. En trappa upp ligger lunch- och personalutrymmen.
Det syntes således mycket tydligt att Målerås

glasbruk tjänade pengar. Dessutom att dessa pengar användes på ett mycket småländskt, förnuftigt sätt.
Glas från Målerås började synas i skyltfönster och på hyllor lite överallt i världen. Och i Glasbruksföreningen, där de högsta glasbrukscheferna träffas då och då, blev det löntagar- och samhällsägda brukets senaste bokslut ett allt vanligare diskussionsämne.
Glas från Målerås hade på några år blivit en attraktiv vara. Mest för glasälskande samlare över hela världen.

Men också för glasbrukschefen i Orrefors någon mil därifrån!

Orrspel på Gråstensmon

Orreforschefen Göran Bernhoff hade redan tidigare på 80-talet gått på offensiven. 1984 köpte han Älghults glasbruk och två år senare var det dags för SEA glasbruk i Kosta.
På våren 1988 riktades blickarna mot Målerås.
– Vi tänker gå ut med ett bud till era aktieägare, meddelade ledningen för Orrefors Glasbruk!

När Mats Jonasson fick reda på att det var orrspel utanför stugknuten, blev han först orolig. Därefter stridslysten!
Målerås glasbruk skulle till varje pris räddas undan den storkoncern, som tidigare hade köpt och lagt ner bruken i Alsterfors, Flygsfors, Gullaskruv och Strömbergshyttan. I den kampen tänkte Mats inte sky några som helst medel!

Han hade ett litet bolag som hette Mats Jonasson Målerås AB. Till det kom royaltypengar från både Kosta och Målerås glasbruk. Detta bolag köpte, bara några veckor efter Orreforsledningens samtal, Målerås IF:s lilla aktieinnehav i Målerås glasbruk.

Hembudstiden var två månader, men ingen av aktieägarna använde sig av förköpsrätten!
– Kanske den mest nervösa tid jag har varit med om, säger Mats i dag.

Nu hade alltså den ständige gravörelevens eget lilla bolag blivit aktieägare i Målerås glasbruk. Mats kunde därför köpa Målerås-aktier utan att bli stoppad av övriga aktieägares förköpsrätt.

Göran Bernhoff. Foto: Ingemar Kroon.

– Ett mycket starkt vapen i den kommande kampen, berättar Mats.
Och den kampen inleddes på allvar i maj 1988. Då tog Orreforschefen direktkontakt med Mats.

Herrarna träffades i största hemlighet. Mats hade valt platsen.
– Det var min svärfars föräldrahem Möcklashult i de djupa skogarna vid Älghult, berättar han. Där kunde vi prata ostörda.
Mats verkade inte alltför negativ vid dessa möten. Men han ville ha tid att tänka på vad en eventuell affär skulle innebära.
– Det var främst en fråga jag ville ha svar på, säger Mats. Skulle Orrefors som ägare utveckla Målerås eller kunde vi klara oss bättre på egna ben?

Mats i samspråk med patrioten och aktieägaren Uno Lindahl. Foto: Hans Runesson.

Samtidigt pejlade Mats läget bland några av aktieägarna hemma på bruket. Och han samlade de pålitligaste och mest patriotiska Måleråsborna till ett litet möte på gräsmattan utanför Folkets hus i samhället.
Måleråsandan fanns kvar!

De som 1981 med hjärtat hade köpt aktier i

Målerås glasbruk var nu beredda att sälja dem. Också med hjärtat!
Så Mats Jonasson besökte banken i Nybro och lånade pengar till sitt lilla bolag. Dessutom hade han – i största hemlighet – redan innan förhandlingarna med Bernhoff inleddes, sänt ut ett brev till aktieägarna i Målerås glasbruk. I detta stod det bland annat:

*När vi övertog bruket 1981 värmde det oss alla
att så många – trots myndigheters ifrågasättande
och olyckskorpars kraxande – gav oss sitt stöd.
Med gemensamma krafter har vi lyckats visa
att vi har ett existensberättigande på glas-
marknaden.
Men plötsligt blir jag varse hur stora företag och
andra aktörer, börjar intressera sig för Målerås
glasbruk. Det oroar mig!
Inte trodde jag att framgången skulle skapa
problem. Jag är mycket tveksam till beroende av
en storkoncern.
För mig skulle det kännas ytterst otillfredsstäl-
lande att passivt bevittna hur olika intressenter
med olika målsättningar och medel agerar för
att få kontrollen över Målerås.
Jag vill därför erbjuda dig att jag – genom mitt
bolag Mats Jonasson Målerås AB – förvärvar
dina aktier i Målerås glasbruk till ett pris av
14 000 kronor per gammal aktie.*

Det var inte utan vånda Mats författade denna skrivelse. Han visste naturligtvis väldigt väl att han var ensam och därför ekonomiskt inte kunde mäta sig med en storkoncern.

Så här förklarar han sina känslor när han sänt ut breven:

När jag hade skrivit brevet till aktieägarna, kändes min förfrågan som ett intrång i deras innersta byrålådor. Somliga kunde tolka mitt erbjudande som ett ifrågasättande av deras lojalitet. De kunde ju själva vägra sälja till storkoncerner och därmed tillsammans behålla kontrollen.

Men det fanns stora aktieposter på flera händer. En framtida intern maktkamp kunde nog vålla problem. Många äldre Måleråsbor har sett hur bruket tidigare förlamats av stridigheter mellan olika ägare.

Alla vet att tio kilo i vardera vågskålen ger jämvikt. Men vi vet också vad som händer när ett gram flyttas över från den ena till den andra.

Dessa tankar och oro för vad som kunde hända stressade mig. Det var svårt att vila på hanen. Förutsättningarna kunde snabbt förändras.

Ingen får någonsin veta om andra alternativ hade varit bättre.

Jag hoppas att affären långsiktigt får fler vinnare än förlorare.

Det får framtiden utvisa.

DENNA AKTIE ÄR BUNDEN

AKTIEBREV Nr 319

i

MÅLERÅS GLASBRUK AKTIEBOLAG

MÅLERÅS IDROTTSFÖRENING

har erlagt full betalning för 1 aktier

med

KRONOR ETTUSEN

och tillförsäkras härigenom motsvarande andel i bolaget
med de rättigheter och skyldigheter som gällande lag
och bolagsordning bestämmer.
Med detta aktiebrev följer tio utdelningskuponger jämte
talong.

Måleräs 31/8 1981
Ort   Datum

för

BOB NILSSON   STIG KRANTZ

OVE MAGNUSSON   ROLF CARLSON

HARRIET GRANBERG

Aktien som gjorde affären möjlig.

Mats Jonasson bjöd alltså vad man i sådana här sammanhang kallar fjorton gånger pengarna.
Budet som senare kom från Orrefors låg på femtiofyra gånger pengarna!
Vem tror ni vann den här dragkampen?

Jo, som ni ser, Mats Jonasson!
Inte minst på grund av att styrelsens ordförande Magnus Ekberg - advokat och djävulens lekkamrat således - sålde sin post till honom.
Magnus ringde från en telefonkiosk i Kuala Lumpur i Malaysia och undrade över aktieaffärerna. Samtidigt som han förkunnade att det var varmt och att solen stod så högt att hans skugga gömde sig under skosulorna!

Mats berättade att han på kort tid fått en god bit över fyrtio procent av aktierna.
Magnus gratulerade och per fax lät han meddela sitt kontor i Jönköping om försäljning av sina Målerås-aktier.
Nu hade Mats aktiemajoriteten!
I slutet av juni kunde han således per telefon överraska Göran Bernhoff i Orrefors med beskedet:
– Jag har egen aktiemajoritet i Målerås glasbruk!
Så slutade alltså en av de märkligaste ekonomiska transaktioner som någonsin förekommit i detta land.
Och det var den ständige gravörelevens tredje stora seger. Så här ser han på den nu:

*D*en stora glaskoncernens förvärvsförsök i Glasrikets nordöstra hörn våren 1988 oroade många lokalpatrioter i Målerås. När Orrefors sökte kontakt hade det nog varit klargörande med ett tydligt nej. Nyfikenheten lockade oss emellertid att försöka få information om deras långsiktiga avsikter.

Det talades till en början om samarbete. Vi hade inget emot det, men bara under förutsättning att det skulle gagna bägge parter.

Resultatet fick under inga omständigheter bli, att stor åt upp liten!

Mina hypotetiska frågor och svävande språkbruk skapade förmodligen förväntningar hos motparten. Jag märkte iver och det oroade mig. Mycket stod ju på spel.

Jag har emellertid förståelse för Göran Bernhoffs agerande, trots tuffa tag från båda sidor. Det var väl egentligen inga slag under bältet. Möjligen mitt på.

Orreforskoncernen är ju hans uppdragsgivare. Som ansvarig företagsledare måste han ju med alla sina krafter göra detta företag starkare.

Det kanske hade varit tjänstefel att inte försöka.

Men om Orrefors hade lyckats med sitt förvärvsförsök, hade nog Målerås blivit ytterligare en liten sockerbit i koncernskålen.

I den historiska tillbakablicken hittar vi det tyngsta argumentet mot Orreforsaffären. Under många decennier har Målerås glasbruk med bräckligt skrov seglat under flera olika koncerners flagg. I samtliga dessa grupperingar har bruket vid minsta konjunktursvacka placerats bland de högprioriterade nedläggningsobjekten.

Detta faktum har oroat och bidragit till skepsis bland folk i Målerås, även om avsikt och vilja varit god hos optimistiska intressenter.

Bränt barn skyr elden!

Leif Lindqvist.

Göte Thorsson.

Den ständige gravörelevens tredje seger vid Gråstensmon var världens bästa affär. Det ansåg ekonomer, bankfolk och företagsexperter, som flitigt uttalade sig i press, radio och TV.

Ett belopp på tre eller fyra gånger vinsten är normalt i sådana här sammanhang. Och på den nivån låg också budet från Orrefors. Men Mats hade ju köpt hela bruket för en summa, som var en miljon kronor lägre än det aktuella årets vinst.

Inte undra på att han blev kallad klippare i många referat och intervjuer!

– Men kom ihåg att aktier inte är som vanlig valuta, säger Mats. Vill man inte sälja är guldskrinet låst och nyckeln bortkastad!

Men i Målerås blev Mats inte kallad för klippare. Där var trofastheten stor.

Trots fortsatt orrspel under några månader! Göran Bernhoff gav sig nämligen inte, utan gick ut med ett bud, fast han visste att Mats nu hade aktiemajoriteten.

– Jag berättade för Bernhoff att de tidigare aktieägarna 1981 hade satsat sina pengar utan förväntningar på vinst, säger Mats. Och att det därför inte heller nu skulle gå att locka dem med plånboken!

Det stämde med verkligheten. Många Måleråsbor kom mycket väl i håg hur rent ut sagt jävligt det hade varit under Flygsforsgruppens tid. Och att det därefter blev ännu eländigare, när först Krona-Bruken och sedan Kosta Boda tog över. Bränt barn skyr elden! Så här sade glasarbetaren Leif Lindqvist, Målerås, i en tidningsintervju, när affären var klar.

– Jag sålde mina aktier till Mats därför att jag helt saknar förtroende för Orrefors som storkoncern. Se bara hur det gått för bruken i samhällena här omkring!

Och så resoneras det i Målerås än i dag. Göte Thorsson, som under 60 år har varit skomakare i samhället, sålde med varmt hjärta sina aktier till Mats 1988.

Arne Karlsson.

Mats Jonasson var störste enskilde aktieägare i Målerås glasbruk, när orren kom med sitt lockande läte.
Och kunde lätt själv blivit miljonär över en natt!
– Budet var ju egentligen ett kvitto på att vi hade varit duktiga, säger han nu. Men jag tänkte aldrig i sådana banor. Vad jag främst hängde upp mig på i resonemangen med Bernhoff var, att vi aldrig skulle få möjlighet att expandera här i Målerås, hur framgångsrika vi än kunde bli i framtiden. Ledig kapacitet skulle alltid finnas på någon annan plats inom den stora koncernen.

Det här bekräftar Orreforschefen Göran Bernhoff i dag. Men att orren skulle ha spelat falskt eller haft onda avsikter förnekar han bestämt.

– Vi hade absolut inga planer på att köpa Målerås och stänga bruket för att flytta över produktionen till Orrefors, säger han. Det hade varit dålig ekonomi.
– Däremot hade glasbruken haft stor nytta av varandra på en rad områden. Det gällde inte minst inom tekniken.
– Målerås hade ju dessutom utvecklat ett starkt sortiment, som var lättillgängligt, väl samman-hållet och av hög kvalitet. Och Orrefors hade då liksom nu en stor säljorganisation utom-lands. Denna hade säkert med stor framgång kunnat sälja produkter från Målerås i många länder, där de i dag endast säljs i ringa omfatt-ning.

Den här gången gav orrspelet ingen utdelning. Men Orreforschefen gav sig inte.
Året därpå, 1989, köpte Göran Bernhoff fyra stycken andra glasbruk i stället. Kosta, Boda, Åfors och Johansfors!

– Det gick ju inte att stirra sig blind på stora belopp, säger han nu. Det gällde ju hela sam-hällets existens. Säg att Orrefors hade köpt bruket och sedan lagt ner det när tiderna blivit sämre. Precis som man gjorde i Johansfors för något år sedan. Då skulle hela samhället ha dött ut.
– Och vi hade tvingats skänka bort våra hus!

Arne Karlsson är byggmästare och samhällsför-eningens ordförande i Målerås. Han sålde också sina aktier till Mats.
Och ångrar sig heller inte i dag.
– De som sålde sina aktier till Mats fick bilen betald, säger han. De kunde fått sina hus skuldfria istället. Men vad spelar några tusen-lappar från en gammal aktieaffär för roll i ett samhälle utan jobb? För så skulle det förmod-ligen ha blivit förr eller senare, om bruket hade hamnat under Orrefors.

Konstnär och direktör

Lokalpatrioten Mats Jonasson ägde nu ensam nästan hela Målerås glasbruk. Han blev också verkställande direktör.

De teoretiska meriterna för jobbet hos denne Rossini-älskande före detta fotbollsbuse var inte så märkvärdiga. Mats hade formellt inte haft något chefsskap sedan han 1964 var korpral på I 11!

– Jag har varit hjälptränare i fotboll för Målerås IF också. Men det var under lagets mörkaste period, säger han med en sarkastisk glimt i ögat.

När det löntagar- och samhällsägda glasbruket startade hade Mats en suppleantpost i styrelsen.

Utan rösträtt, påpekades det då och då, när han ivrigt framförde sina synpunkter!

– Mats är konstnär och ingen direktör, sade till exempel en representant för Statens Industriverk i samband med ett besök på Målerås glasbruk.

Men det var ändå oftast till Mats de anställda vände sig, när det brände till under krisåren på 70-talet!

Och det är som sagt verkställande direktören själv, som har formgivit glasbrukets hela kollektion.

Det tänker han fortsätta med!

– Som VD för Målerås glasbruk har jag beslutat att nittiotvå procent av min arbetstid på bruket skall ägnas åt produktutveckling. Ju fler som tar ansvar i ett företag, desto lättare är det att vara ledare, säger Mats.

Vas Papua. Gravyr av Mats Jonasson. Foto: LE Carlsson.

Självklart har han funderat mycket över ledarskapets innebörd. Här några synpunkter, som Mats själv har skrivit ner:

ånga har synpunkter på ledarskap. En chef förväntas ta på sig ledartröjan och cykla först. Ytterst få tänker på att rodret på en båt sitter i aktern.

Höga krav ställs på ansvarstagare. Ledaren bör ha förmåga att se möjligheter, kunna lyssna på medarbetare, göra dem engagerade, skapa laganda och påvisa allas betydelse. Dessutom måste den som är chef stå rak, när det stormar.

Insikt, utsikt och avsikt är tre ord som kan bilda rubrik på ledarskapets agenda. Gott uppträdande och omdöme ger förtroende.

Endast ett fåtal besitter karisma. Exteriörens utstrålning uppskattas av somliga.

Men den som tror att ledarauktoriteten sitter i slipsen, skördar nog inga större framgångar.

En företagsledning som alltför ofta påtalar vilka som bestämmer, tappar auktoritet. Likväl kan en auktoritär ledare försvaga kollektivets styrka.

En rytande lejonhanne kanske inger respekt.

Men det är lejoninnornas kollektiv som fångar bytet!

Ibland sker underliga saker. Ödet ger ledaransvar till dem som intresserar sig mer för vad seendet bjuder än av djuplodande ekonomiska analyser. Somliga påstår att de även gör besök utanför verkligheten. Personer med denna läggning får ofta epitetet drömmare med livlig fantasi. Dessa egenskaper prioriteras inte högt, när näringslivets headhunters är på ledarjakt.

Trots detta faktum är det kanske inte helt galet med drömmande formgivares inflytande i företag, där produktens utseende är av stor betydelse för framgångsrik försäljning. I avsaknad av universalgeniet är nog inte fackidioten alternativet. Förenade krafter i samverkan med det sunda förnuftet räcker långt.

En del kommer långt med stort självförtroende. Jag tror att det går att komma längre med att vara medveten om sina begränsningar.

Drömmare med livlig fantasi. Självporträtt i blyerts 1983.

Glasblåsare i glas. Gravyr av Mats Jonasson.
Foto: LE Carlsson.

Mats ser sig själv som en god representant för det avglorifierade VD-skapet. Och det kan han faktiskt kosta på sig!
Som styrelsens ordförande sitter nu Erik Rosén, hans gamle trätobroder under Kostatiden.
Mats har själv tillsatt honom!
– Erik och jag stångades en gång i tiden, säger Mats. Men vi har båda vänt hornen rätt. Nu siktar vi mot samma mål!
– Det betyder mycket för Målerås, tillägger Mats. Rosén är ju Glasrikets mest meriterade direktör genom tiderna. Jag kan fråga honom om allt!

Erik Rosén har varit med om det mesta på många glasbruk i det småländska Glasriket.

Men aldrig att en konstnär suttit som verkställande direktör!
– Mats har sitt sunda bondförnuft, säger Rosén. Han är sparsam och försiktig. Dessutom är han envist orädd och står för fattade beslut i styrelsen. De egenskaperna har han redan kommit långt med.
– Men Mats är också en mycket ödmjuk person, fortsätter Rosén. Han inser, till skillnad från många andra direktörer, att han inte kan allt. Och har därför skaffat mycket kunniga människor omkring sig.
– Hans största styrka ligger emellertid i att han kan nästan allt inom produktionen.
Mats är ju uppfödd på ett glasbruk och vet hur det skall gå till.
– Ingen kan lura honom!

Helgon och skitstövel

Jag är mycket väl medveten om att personalen är företagets viktigaste resurs. Därför är det viktigt att denna resurs verkligen är effektiv. Detta måste jag få påstå utan att betraktas som en slavdrivare. Facket säger sig värna om jobben. Tvingas företag att behålla personal som inte behövs, kan det innebära katastrof på sikt.
När problem uppstår är det inte säkert att man löser dem genom att sjunga "Internationalen", även om det i allra högsta grad är välmenat.
Världen är förmodligen mer komplicerad!

Det här med envist orädd är inte alltid så populärt. På hösten 1991 tvingade lågkonjunkturen Mats Jonasson att dela ut besk medicin.

Gulfkriget bröt ut och dollarturisterna svek Sverige. Sommarförsäljningen i Stockholm drabbades hårt.
I två omgångar under åren 1991-92 tvingades styrelsen fatta beslut om uppsägning av personal.

Inne i glasbruket blev det fullt krig. Facket höll på sin, av reglerad turordning, lagstadgade rätt.

Verkställande direktören tyckte att de personliga kvalifikationerna skulle vara avgörande. Ovanstående rader är hämtade ur ett brev som Mats skrev till samtliga anställda, när krutröken så småningom hade skingrats.

Förhandlingarna i samband med varslen blev tuffa. Fackliga protester saknades inte!
– Vid ett tillfälle avgick fackstyrelsen, berättar Mats. Efter några dagar med polsk riksdag uppstod den i ny skepnad. Även fackfolk kan som bekant få det hett om öronen.
– Från två håll dessutom!
Så här ser Mats Jonassons egna aspekter på inbördeskriget ut några år senare:

*J*ag är fostrad i ett tryggt arbetarhem och kom i unga år underfund med att det materiella inte är allt. Blev inskriven i fackföreningens register före femton års ålder. Informerades tidigt om vådorna av privat företagsamhet.

Med denna bakgrund i bagaget var det inte lätt att övertyga folk om nödvändigheten av personalreduktion. Men ibland kräver verkligheten smärtsamma åtgärder.

När fackets trummor började mullra visade det sig att avståndet mellan helgon och skitstövel var kort.

Djungeltelegrafen aktiverades och somliga informerade om den överlöpande uppkomlingens tilltag.

Höga röster påtalade rätten till arbete. Vem garanterar denna rätt?

Räddar facket jobb långsiktigt genom att diskvalificera den ambitiöse med kort anställningstid?

Behöver en lagledare fråga sig:

Är det skurkaktigt att vilja spela med bästa laget?

Jag hoppas att fackliga sympatisörer är medvetna om att det endast är de starka och livskraftiga företagen, som orkar skapa framtida trygghet.

När mina argument konfronterades med de av ombudsmän välpreparerade fackliga åsikterna, blev adrenalinflödet ymnigt och vanmakten lägrade sig i mitt sinne. När lagar används för att köra över sunt förnuft är det dags att hissa varningsflagg. Att gömma civilkuraget i en stor organisation är enkelt. Frågan är om det höjer den moraliska standarden?

Ibland undrar jag vad som hade hänt, om inte facket funnits.

Hade den stora katastrofen inträffat?

Lider företagare av social impotens?

Har de fackliga fanbärarna högre moral än arbetsgivare?

I fallskärmarnas tidevarv har vi fått en ny moral att begrunda. Även i fackens röda jumbojet väntar lystna fallskärmsjägare.

Somliga sätter likhetstecken mellan individualism och egoism. Även om ensam inte alltid är stark, är nog inte det fackliga kollektivet den ständige problemlösaren.

Personalen på Målerås glasbruk besitter både ansvar och förnuft, som räcker längre än vad många fackliga regeltolkare tror. Det är viktigt att varje anställd kan framföra sin egen åsikt och visa sin egen känsla för rättvisa. Deras engagemang är betydelsefullt.

Arbetet är ju en stor del av deras tid. Därför är det viktigt att de är med och påverkar framtiden. Vi sitter ju i samma båt och skall hålla den flytande.

Resultat kräver samarbete. Ingen kan köra sitt eget lopp. Men när svåra problem skall lösas och helheten lotsas framåt, går det inte att vara vän med alla.

Många folkhemsbyggare oroas, när makthavande kapitalister och patronernas arvtagare lättsinnigt svingar sina silverglänsande golfklubbor. Men den insiktsfulles oro minskas nog inte när fackliga fundamentalister manar folk att såga i den gren de själva sitter på.

I framtiden måste samarbetet mellan arbetsgivare och arbetstagare förbättras. Jag hoppas att båda parter inser konsekvenserna av att inte sikta mot samma mål.

Kontroversens dialog. Gravyr: Mats Jonasson.

Ibland får jag intryck av att fackliga centralgestalter och förbundsledningar i stället bygger en mur mellan parterna. Är dessa ledare mer beroende av de fackliga organisationerna än uppdragsgivarna? Om så är fallet, gagnar deras makt långsiktigt de människor de representerar?

Vilka bör förfoga över makten i ett företag? Anställda, ägare, stat, kommun, facken eller andra organisationer?

Självfallet de, som har det största intresset av att verksamheten utvecklas.

Mänskliga behov är förutsättningen för all företagsamhet. Detta behov genererar således arbetstillfällen.

I facklig propaganda utmålas ofta företagare som suspekta individer, som vill göra folk fattiga. Fattigt folk ger fattiga företag och därmed fattiga inkomstgivare.

Strävar företagare efter detta?

Logiken i fackens och arbetarrörelsens kamp för allas välstånd talar för målet att alla blir "kapitalister". Kanske kampen om kapitalet svälter ut oss kulturellt och intellektuellt?

Ekorren samlar nötter för vintern. För vad samlar vi? Även om en Rolls Royce glänser, kan lycka också vara att finna ett moget smultron under förströdd vandring på ängen en stilla sommarkväll.

Rättspatos, civilkurage och medmänsklighet betyder nog mer för vår framtid än makten i fackens, arbetsgivarnas och statens organisationer.

Ibland använder Mats järn i kombination med kristall. Även till tuppar.
Foto: Nils Elgqvist.

Någon gång hände det faktiskt att Mats ångrade köpet av Målerås glasbruk. Hans royalties hade säkert gett honom tillräckligt varje år. Varför skulle han då utsätta sig för detta?
Men så tänkte Mats bara någon enstaka gång. För han ansåg och anser sig inte ha köpt ett glasbruk. Han har bara skaffat sig förvaltningsrätten.
– Jag rycker inte loss en stupränna på glasbruket, om jag behöver pengar, säger Mats. Visserligen bestämmer jag själv min lön, men det finns annat som är viktigare än att leva som en konsumtionsfantom. Det kanske låter högmodigt att framföra dessa åsikter, när många i dag har ekonomiska bekymmer.

1990 firade bruket 100-årsjubileum. Mats hoppas att folket i Målerås skall kunna se ugnarna brinna även i det längre perspektivet.
– Men man skall ha respekt för framtiden, säger han.
Just nu ser det emellertid ljust ut.
Kalkylerat budgetutfall har fått skrivas upp med tio miljoner kronor några gånger!

När detta skrivs finns det siffror och statistik på att Målerås är ett av landets mest lönsamma glasbruk.
Så helt värdelös kan inte formgivaren ha varit som verkställande direktör.
Och inte någon större skitstövel heller!

Collectors och Greyhound

Inge Ejderstedt, stående trea från vänster, och Mats Jonasson, femma från vänster i samma rad, spelade tillsammans i Målerås IF:s juniorlag 1962. Inge blev proffs i Anderlecht. Mats var duktigast på att krita strecken på Parkvallen.

Tre personer har under 1900-talet gjort Målerås känt utanför Gråstensmons gränser. Den första heter Vivan Rubensson. Hon kröntes 1944 i Växjö till Värends första lucia. Närmare trettiotusen personer var enligt tidningsreferaten församlade i stadens centrum för att se ljuståget!

Den andre heter Inge Ejderstedt. Han var en gång i tiden duktig glasarbetare i samma verkstad som tvillingarna Nils och Sven Jonasson. Men ännu duktigare var han i fotboll. Så han värvades till storklubbar.

Inge tog 1968 allsvenskt guld med Östers IF i Växjö. Han blev landslagsspelare och var med i Mexico-VM 1970.
Dessutom blev han proffs i belgiska Anderlecht!

Den tredje personen heter naturligtvis Mats Jonasson. Hans namn syns i massor av länder i samtliga världsdelar.

– Och fler blir det år efter år, säger marknadschefen Stig Krantz. Just nu är Sydostasien mest intressant. Där finns tillväxten!

Stig Krantz och glasbrukets monter i Frankfurt. Foto: Lars-Göran Johansson.

Stig Krantz har sysslat med glasexport i trettio år. Halva den tiden har det enbart gällt Mats Jonassons produkter.

Stig känner med andra ord marknaden för Målerås glasbruk!

– I år säljer vi glas för mer än sextio miljoner kronor, säger han. Sjuttio procent av det går på export. Den i särklass största marknaden är Nordamerika.

Mycket av det som säljs i Sverige går också på export. Massor av utländska turister har en djurrelief från Målerås nedstoppad i väskan på hemresan!

Mats Jonassons produkter marknadsförs i hans eget namn. Glasbruket har kommit lite i skymundan.

Det är självklart, tycker Stig Krantz.

– Mats sysslar ju med reliefer i glas, säger han. Tänk om det hade handlat om grafiska blad. Skulle då tryckeriets namn vara mer intressant än konstnärens?

Att döpa produkter efter ortens namn, som man ofta gör här i Skandinavien, är internationellt sett ovanligt. Speciellt när det handlar om prydnadsföremål av glas och porslin.

– Oftast är det familjenamnen som gäller, säger Stig Krantz. Lalique i Frankrike, Lladro i Spanien, Swarovski i Österrike och Rosenthal i Tyskland till exempel.

– Familjenamnet Jonasson har hamnat i fint sällskap!

Finporslinstillverkande familjen Lladro i spanska Valencia har inspirerat marknadsavdelningen i Målerås.

Idéerna med årsutgåvor och samlarklubb är hämtade därifrån.

– Årsutgåvornas upplagor är begränsade till 975 exemplar, berättar Stig Krantz. Vi har gjort dem som serier. Först kom nordiska rovdjur, därefter världens örnar och sedan världshavens djurliv.

Noshörning, limited edition Wildlife of the Savannah.

Tiger i samarbete med Jan Lindblad-stiftelsen.

Svan, Collectors Society.

Puma i Klippiga bergen redo för språng. Foto: Roland Bergman.

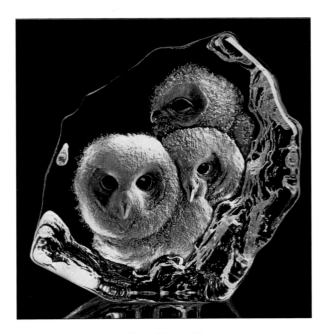

Skygga uggleungar. Foto: Roland Bergman.

V ärldens djur har alltid fascinerat människan.
Den smidiga puman, den kloka ugglan, fisken i vattnet. De gamla grekerna minns att fågelns flykt gav Ikaros en idé.
Noaks ark räddade djuren undan syndafloden. Vem räddar dem undan människan?
Snart krävs en ny ark med annorlunda utformning och dimension.

Blue Marlin (svärdfisk) i Karibien. Foto: Per-Olof Pettersson.

Den engelskspråkiga tidningen. Foto: Jan Lindblad Jr.

En samlarklubb finns alltså också. Mats Jonasson Collectors Society heter den. Närmare tretusen medlemmar finns för närvarande i USA, Canada, England, Australien med flera länder.

– Till dem skickar vi en tidning två gånger om året, berättar Stig Krantz. "Message from Mats" heter den.

Medlemmarna betalar för att få vara med i klubben. I USA kostar det tjugofyra dollar första året. Därefter kostar det sexton dollar varje år de stannar kvar i klubben.

– I gengäld erbjuds de varje år att köpa en pjäs som enbart görs för medlemmarna, säger Stig Krantz. Hittills har vi gjort fem sådana års- och medlemsutgåvor. Det har varit knölsvan, lejoninna, kattuggla, afrikansk elefant och isbjörn.

Ibland stiliserar Mats sina djurmotiv. Detalj ur väggreliefen "Tiger" i järn och kristall.

Mats gör oftast enkla skisser eller linjeteck-
ningar som förlagor. Men ibland vässar han sin
penna!
Hägern söker kamouflage i maden vid
Vapenbäcksån.
Vargen lämnar åter spår efter sig i trakterna
kring Gråstensmon.

Canadian Wildlife Federation

Gift Gallery
1558 Merivale Road
Nepean, Ontario
K2G 3J9
Tel.: (613) 225-6322
Fax: (613) 225-4419

Så här presenterades Mats Jonassons reliefer i katalogen från Canadian Wild Life Federation.

I Message from Mats finns en brevspalt. Där löser medlemmarna sina problem!
Som till exempel den unga dam från Australien som fann att hennes samling av årsutgåvor var komplett med ett enda undantag. Vargen från 1981!
Hon skrev till brevspalten och undrade om någon hade ett extra exemplar. Och det hade en handlare i San Francisco.
Han, som hade köpt vargen för 200 dollar, sålde den nu för 3000 dollar. Och blev givetvis jätteglad.
Men det blev naturligtvis också den unga damen i Australien.

Mats Jonassons djurreliefer säljs per postorder också. Det är en jättestor marknad i USA!

– Många köpstarka amerikaner bor ju dagsresor från specialbutiker, säger Stig Krantz. Därför går postordersortimentet där upp i de dyra varugrupperna. Det säljs till och med flygplan i vissa kataloger!

Det här är ett bra sätt att synas. Postorderkatalogerna kommer ut två gånger om året med upplagor runt fem miljoner exemplar varje gång.

– Vi skulle aldrig själva ekonomiskt klara av att annonsera till en så stor publik, säger Stig Krantz.

Mats Jonassons djurreliefer har givit glasbruket i Målerås profil. Men han använder också kristallen till andra föremål, som till exempel pressglasserien Sunflower. Foto: Per-Olof Pettersson.

Djuren från Målerås säljs på flygplatser världen över. Och på haven över hela världen också.

Reseföretaget Greyhound till exempel är en stor kund!

– Vi säljer massor av reliefer på deras kryssningar från den amerikanska västkusten upp till Alaska, berättar Stig Krantz.

– Och på kryssningarna från New York och Miami till Västindien också.

Men naturligtvis är den vanliga butiksförsäljningen i utlandet störst.

Om man nu kan tala om vanlig butiksförsäljning i det här sammanhanget.

– I Sverige säljs glas och porslin för det mesta tillsammans med husgeråd, säger Stig Krantz. Men i andra länder säljs fint glas och porslin tillsammans med guld, silver och diamanter i juvelerarnas butiker. Dessa är oftast lika förnäma som eleganta!

Det är i dessa finrum man skall synas. Och det gör Mats Jonasson.

I många av dem har han till och med en egen avdelning!

– Vi är klara och tydliga inom vårt mycket specialiserade område, säger Stig Krantz. Därför märks vi också bland mångfalden ute i världen. Som ett allmänpraktiserande glasbruk hade vi säkert försvunnit helt.

Kung Bore och Näcken

Det är i den här miljön Mats trivs. Foto: Staffan Jonasson.

Internationell är alltså Mats Jonasson från Målerås. Eller rättare sagt:
Hans reliefer är det!

Men själv lämnar han mycket ogärna Gråstensmon, denna ödsliga trakt, som ju enligt smålandsexperten och konstnären Björn Gidstam bäst exemplifierar uttrycket "i mörkaste Småland".

För det är här Mats trivs. Och det är här han vandrar eller skidar omkring någon stund varje dag.
– Varför skall jag jag åka till Alperna eller Mallorca? undrar han. Och försöka intensivnjuta bara en vecka.

– När jag under några timmar varje dag kan njuta av livet här. Året runt!

Mats njuter verkligen på Gråstensmon. Att strosa omkring i naturen, stillheten och tystnaden där ger honom avkoppling. Dessutom får hans kropp en daglig dos motion.
– Det behövs, säger Mats. En stor del av mitt arbete sköter jag stillasittande.
I naturen får han också tid att tänka. Fritt och obundet utan störande telefonsamtal. Då behöver det inte handla om de senaste finesserna i Målerås-raketens noskon.
Han skriver ofta ner sina tankar och illustrerar dem sedan med penna, pensel, gravyrstift eller kamera. Ibland har han synpunkter på politik:

*P*olitik är det möjligas konst, sade Olof Palme. Denna konst verkar konstig. Talet som är politikerns viktigaste instrument kan användas på många olika sätt. När riksdag och regering skall väljas får vi ta del av detta instruments (o)möjligheter. Retorisk propaganda och populistiskt kryddade tal silas av somliga, sväljs med hull och hår av andra. När valresultatet är klart och vardagens realiteter nalkas påminns nog den eftertänksamme om det gamla ordspråket "Tala är silver, tiga är guld".

Oro över att hamna i onåd hos väljare och frustration över motståndares goda förslag verkar göra våra folkvalda politiker till ideologiernas fångar.

Är Moder Sveas skröpliga tillstånd enbart deras fel?

Vi kanske får de politiker vi förtjänar. Snart kanske partiet för främjande av vackert väder inträder i vår riksdag.

Mycket tyder på att vårt trygga folkhem genererar få givare och för många tagare.

Hur länge varar tryggheten?

Folk informeras om huggsexor, där samhällets toppar hoppar med bärkraftiga fallskärmar. Samtidigt undrar många:

Varför skall jag vara idealist, när inga andra är det?

Denna fråga eroderar Folkhemmets fundament. Skeptikerna ökar i antal.

De glorifierade orden Välfärd och Folkhem riskerar att förvandlas till skällsord.

De stekta sparvarna har slutat flyga. Kanske rädslan för nöden gör oss medvetna om fördelarna med de uppkavlade skjortärmarnas filosofi.

Hypoteser är användbara vid tankeexperiment. Vi ger en klok och rättrådig person diktatorns befogenheter. Rådgivarna som utses är fläckfria från partipolitisk fundamentalism. Denna konstellation får mandat att styra landet ett decennium.

Därefter jämför vi detta med samma period och förutsättningar med dagens politiska system, där ivriga valfläskutdelare trängs i maktens korridorer.

Risken är stor att resultatet av denna jämförelse påvisar brister i demokratin.

Folkets bästa! Rättvisa åt alla! Många av världens ledare tar dessa ord i sin mun, inklusive tvivelaktiga regimers företrädare.

En agitator tänder massornas entusiasm. Har majoriteten alltid rätt? Jag tror att det är de engagerade skeptikerna som är demokratins verkliga garanter.

Under 1700-talet var Hattar och Mössor namnen på de tongivande politiska ideologierna. I dag är det höger och vänster. Snart är förmodligen även dessa läror historia. Tiden ändrar snabbt förutsättningar.

Kvar står dogmen och väntar på verkligheten.

Ingvar Bildt.

TV som är nutidens stora underhållningsmaskin
och kreativitetsdödare, speglar även tillståndet i vår
oroliga värld. Disney för unga, kaféprogram för äldre,
nyheter och amerikanska filmer håller somliga vakna, söver andra.
När kvällsstunden nalkas och TV-rutan pockar på vår uppmärksamhet,
sjunker vi djupt ner i vår TV-fåtölj. Apparaten aktiveras och bildskär-
men bestrålar oss med nyhetsreportage, som borde väcka vårt slumrande
civilkurage. Med fjärrkontrollen i den ena handen och en kaloririk
smörgås i den andra frossar vi obekymrat vidare i vårt, av budget-
underskott, tyngda Folkhem.
Den engagerade samhällsmedborgaren har höga förväntningar inför
TV-kvällens debattprogram. Med verbal ekvilibrism neutraliserar
professionella tyckare och patetiska åsiktsivrare varandras ordflöden. När
fundamentalisters retorik överröstar den sansade sakligheten riskerar tit-
tarintresset att övergå i anarkistiska grubblerier.
I TV-kamerors sken grillas intervjuoffer av reportrar, som med vassa
tungor och mikrofoner i högsta hugg strävar efter att göra intryck
på sensationslystna tittare. Inget undgår parabolens räckvidd.
Bildsekvenser etsar våra näthinnor med krig, svält, terror och bedjande
ögon. En fråga väcker vårt samvete:
Vad kan vi göra?
Med kanalväljarens hjälp flyr vi verkligheten, lättsinnet besegrar
samvetet.
Coca Cola-kulturens Dallas blir kvällens postludium!

Detalj ur Terrorbalans. Gravyr på floatglas av Mats Jonasson.

På stenåldern använde de stridslystna träpåkar och stenyxor. Waterloo, Auschwitz och Hiroshima har visat att kunskapen även givit ondskan raffinemang!

Det är inte endast rövare, som har gömt sig bland Gråstensmons stenar. Där finns kamouflage även för andra individer. Foto: Mats Jonasson.

På Gråstensmon och i trakterna där omkring är det sällsynt med björnbär och blåklint. Men där finns hjortron och skvattram.
Och så finns det blåbär, lingon och tranbär bland tuvull, martallar och dvärgbjörkar.
Jodå, dvärgbjörken finns visst här. Biotopen är på sina ställen mycket norrländsk.
I Uvaklöva, traktens eget Grand Canyon, är

det till och med lite vinter året runt. Mats och jag kramade var sin snöboll där den 4 juli 1994.
Då pekade termometern i Målerås på mer än trettio grader varmt. Och i Långegöl gav simturen inte ens svalka!

I denna vildmark trivs naturligtvis älg, rådjur,

Blyertsteckning: Mats Jonasson.

mård och räv. Liksom orre, tjäder, vråk, korp, hök, ugglor och beckasiner.
Vargar har setts och spårats i trakten under senare år!
Vadarfåglar finns det gott om och tranor brukar häcka här.

Och så finns det massor av sjöar, gölar och åar.

Med gäddor, abborre, ål, braxen och kräftor.
Mats gillar att meta!
Dessutom att plocka svamp. Men han luktar bara på kantarellerna.
Innan han ger bort dem!

– De luktar så gott och är egentligen mycket finare i skogen än i stekpannan, säger han.

Näckros i Långegöl. Foto: Mats Jonasson.

Solstrålar når vår jord. Väcker slumrande liv. Fokuserar
en orkidé i Mato Grossos regnskog och en näckros i Långegöl.
Ljuset öppnar blommors kalkar.
Kronblad sträcker ut sig.
Nektar lockar glättig fjäril.
Ett flyktigt möte sker.
I hemlighet överlämnas livets nycklar.

Ytterligare några miljarder år förmodas vår stjärna ge energi.
Vad händer sedan?
Kan intelligenser göra jordens existenser eviga eller blir vi ögonblickets
parentes i tidens oändlighet?

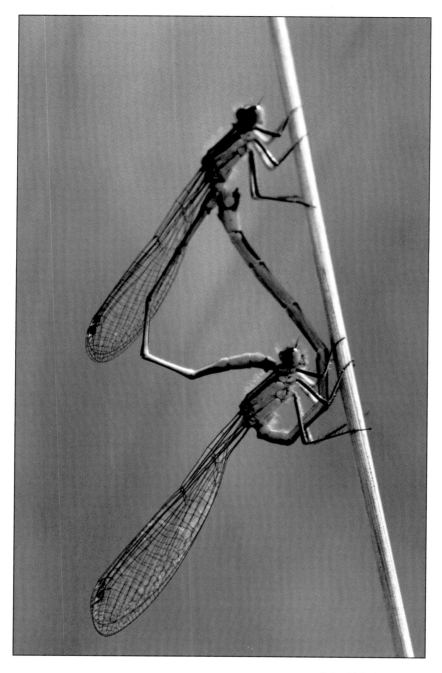

Foto: Mats Jonasson.

Gener överförs till nya generationer i ett sällsamt skådespel.
Vem är regissören?

Lingonkvist, tuschlavering av Mats Jonasson.

I *dagens industrialiserade värld tycker nog många att skogen enbart är en råvaruresurs. Av olika skäl vill väl alla att träden finns, även om den krokiga martallen trotsigt provocerar tillväxtkrävande skogsbrukare.*

Skogen har mycket att ge, allemansrätten möjliggör rekreation och inspiration för alla.

Om vi vill, bjuder naturen på friska, vitaminrika bär. De flesta av oss tackar nej. Med mottot "tid är pengar" väljer vi i stället livsmedelsbutikernas säljande förpackningar med konsistensgivande innehåll.

Mycket pengar och för lite tid gör inte tillvaron lättare!

Rop från urtid. Väggrelief i kristall och järn av Mats Jonasson.

*U*r vårt tidsperspektiv är miljarder av år evigheten. Ur evighetens är det en sekund.
Tiden har alltid funnits, finns och kommer alltid att finnas.
I denna svindlande dimension dimensioneras överdimensionerande EU-byråkraters underdimensionerade jordgubbar.

Foto: Mats Jonasson

K lockan 17.58 torsdagen den 5 maj 1994 presenterade
naturens eget galleri expressionism av högsta klass.
Strandlinjen vid Långegöl visade vita björkstammar
i mjuka vågors spegelblänk.

Vernissagekorten skrevs. Den lätta vinden mojnade.
Stiltjen refuserade den expressiva bilden.

Stiltje över Långegöl. Foto: Mats Jonasson.

Mats bor tillsammans med sin familj bara några hundra meter från glasbruket, idrotts-hallen och Konsum. Mycket centralt, således. Ändå har han skogen som granne på två sidor av tomten.
Större är inte Målerås!

– Jag är ett däggdjur, säger Mats. Och som däggdjur trivs jag i den här miljön. Inte på Sergels Torg!

– Likt en artfrände av neanderthal har jag rest mig på bakbenen. Inte för att se ner på andra och inte heller för att som Ikaros trotsa jor-dens gravitation.
– Däremot vill jag av nyfikenhet se mig omkring!
Det syns på hans gravyrer och reliefer.
Intrycken är ju hämtade från djur och natur.
Både från Gråstensmon och Afrika, Långegöl och Stilla havet.
Naturen leker med hans fantasi!
Och det syns också på många fina akvareller och teckningar i hemmet.
Titta på Gråstensmons vinterskrudade martal-lar och kung Bore!

Akvareller: Mats Jonasson

N *är nordanvinden renat disig nejd uppenbarar sig kung Bore.*
Tjälen tränger sig ned och januaris kyla skrudar
Gråstensmon i glittrande vinterdräkt.
Kung Bore är trots sin bistra uppsyn en av mina bästa vänner.
När han är aktiv görs den mörka årstiden ljus. Isarna bär,
kölden biter i rosig kind och frostar furans barr i vitt.

M7

Hassel. Gravyr: Mats Jonasson.

Många reliefer och gravyrer är resultat av direkta studier i naturen. Och då märks det mycket tydligt, att Mats är detaljernas mästare.

Titta på hasselskålen, som gravöreleven har gjort i sin egen, mycket speciella gravyrteknik. Han har jobbat på båda sidorna av glaset. Visst ger det bilden ett alldeles speciellt djup!

Och titta på Näcken, ett av gravörelevens praktverk på floatglas. Här har fantasin gäckat realismen!

Och visst har Mats visat vördnad inför ett väsen som ju egentligen inte finns.
Utom i forsen vid Barkahult!
– Och i musiken, säger Mats. Näckens polska är en sorglustig melodi med trolska förtecken. Denna vår egen genuina folkton skildrar naturens mystik och ger nog intryck i sinnet även hos dem, som inte har badat i Långegöl.

Näcken. Gravyr på floatglas av Mats Jonasson.

Detalj ur Näcken.

Näckens polska spelar han alltså gärna. Många gånger tillsammans med dottern Åsa och gode vännen Reine Lindahl.

De gör offentliga framträdanden i Folkets hus och kyrkor. Helst där akustiken är god!

– Att musicera är skönt, säger Mats. Föra flöjt-munstycket till läpparna, fylla luften med toner, leka i dur och i moll och låta den akustiska världen göra vardagsproblemen mindre.

– Mats har samma inställning till musiken som till sitt arbete, säger Reine. Han lämnar sällan något åt slumpen.

– Allt Mats gör måste helt enkelt bli rätt och riktigt.

Framtiden ...

När detta skrivs, några år före sekelskiftet år 2000, går det bra för Mats Jonasson och hans glasbruk i Målerås. Även om konjuktursvackor ibland besvärar, genererar företaget vinstmedel, som investeras för framtiden.
Produktionsapparaten har nyligen byggts ut och en ny utställningshall invigts.

Men framtiden skall egentligen inte se ljus ut. Det ger de historiska erfarenheterna klara och tydliga besked om. Docent Olof Nordström i Lund har gjort en förteckning över alla glasbruk och hyttor i Sverige sedan starten i Vadstena kloster på 1380-talet fram till våra dagar.
Det är en deprimerande läsning!
– När det gäller glasbruken är nedläggningarna nästan lika många som etableringarna, säger han. De som finns kvar i dag är visserligen ofta tämligen gamla.
– Men de är definitivt inte många!

Under 1700-talet, för cirka tvåhundra år sedan således, anlades 16 bruk i Sverige.
– Av dem är endast två stycken fortfarande verksamma, berättar Olof Nordström. Det är Limmared och Kosta.

Under 1890-talet anlades 30 nya glasbruk i Sverige. Målerås var ett av dem.
Hundra år senare finns detta bruk kvar. Och det gör Rosdala, Skruf, Sandvik och Orrefors också. Men de andra försvann.
Många redan efter mindre än tio år!

Trakterna runt Målerås och Gråstensmon kan

liknas vid en väldig glasbrukskyrkogård. Här några förslag till gravstensinskriptioner, hämtade ur Olof Nordströms skrift "Glasbruk och hyttor i Sverige 1555-1985":
Johanstorp i Lenhovda 1858-1910, Östervik i Lenhovda 1868-1936, Kyllekruv i Lenhovda 1879-1886, Berghem i Älghult 1887-1951, Renshult i Lenhovda 1890-1891, Flöxhult i Älghult 1896-1910, Hovgård i Älghult 1899-1927, Rydefors i Älghult 1863-1970, Alsterbro i Kråksmåla 1871-1969, Björkå i Älghult 1872-1962, Kronofors i Älghult 1873-1928, Gadderås i Madesjö 1875-1967, Alsterfors i Älghult 1866-1980 och Björkshult i Fagerhult 1892-1978.
Det är mycket lätt att komma med fler förslag! Men glasbruket i Målerås kunde 1990 fira 100-årsjubileum. Det ägs och drivs av en lokalpatriotisk glasformgivare, som vet hur det känns att kämpa i hetluften för brukets existens.
Så här ser Mats Jonasson själv på framtiden:

Målerås glasbruk, förlaga till etsning Sepia 1929. Ur boken "Arbetarmålaren" Johan Ahlbäck.

*A*lla de som känner till Måleråshyttans förflutna vet att brukets existens många gånger har hängt på en skör tråd. Olika skeenden såsom uppköp, fusioner och aktörers ställningstagande – rationella och irrationella – har under ett sekel gjort brukets historia brokig. Ödets nycker påverkar även glasbruk. Ljus framtid kan man endast önska, inte kräva eller beställa.

"Leva av egen kraft" är ett påstående som kan vara svårtolkat. Kan ett företag leva av denna kraft? Överallt finns ju olika mänskliga behov som motiverar verksamheters existens. Även om soloprestationer förgyller, är det nog lagarbetet människor emellan, som ger oss hopp om framtiden.

Ibland efterfrågas saker, som inte ingår i människans grundläggande behov. I vår bransch skapas ofta föremål, som enbart är till för beskådan. Sådana objekt tycker nog många att de kan leva utan.

I motsats till detta tror jag att våra sinnen behöver stimulans. Enbart funktionalism, rationell fyrkantighet och spikrakt utstakade vägar, skulle nog göra livet tråkigt. Människan behöver ibland krydda sin tillvaro. Men åsikterna om hur detta skall ske är många.

Det nalkande tjugohundratalets innefolk och trendsättare driver folk att förnya sin image. Alla hänger inte med, traditionalisterna bromsar.

*Forna tiders söner kunde ärva och bära fädernas läderstövlar. Var skälet till detta enbart av ekonomisk art?
I dag skulle nog de modemedvetna protestera.*

Vad av det som görs i dag står sig om hundra år?

*Kvinnor har under modets krav besvärats av trånga korsetter och högklackade skor. Även tuppmentaliteten
sätter sina spår. Vilket är finast: slips eller ring i näsan?
Som de flesta andra djur har även människan genom alla tider velat visa sin status. Romerska härskares
hästdrivna stridsvagnar smyckades av dåtidens främsta konstnärer och hantverkare.
Människans fåfänga och irrationella agerande får ibland positiva konsekvenser, således även
för hyttorna i Glasriket.
Glasbruken ger inte bara arbetstillfällen i den småländska glesbygden, de är även kulturbärare.*

Vad är kultur?

*Lucio Fontana skär några snitt i en rödmålad duk. På ett torg någonstans säljs tavlor som föreställer rosor
eller solnedgångar. Ett galleri visar konstverk gjorda med HIV-smittat blod.
Somliga betraktare förfasar sig, andra applåderar, några är likgiltiga. Spekulanter undrar över värdet.
Med övertygande auktoritet och verbal briljans rosar och risar kulturexpertisen de innovativa objekten.*

Kultur uppstår när någon eller några gör någonting med känsla och inlevelse.

*Vår tids accelererande utveckling ändrar ständigt förutsättningar. Ekorrhjulet snurrar fortare och
verkligheten stressar mänskligheten, tiden blir knapp. Det blir allt svårare att rätta till gårdagens misstag,
men vi måste ju se framåt och tro på det vi gör.
Många har höga förväntningar på framtiden, men nöjda blir nog endast de som är försiktiga med sina
krav.*

*Ett gammalt ordspråk lyder: Den friske har många önskningar, den sjuke bara en. Dessa ord borde nog en
och annan frossande krävare tänka på.*

*Mänsklighetens girighet och lättsinne håller samhällets tillväxt igång, men tär också på våra gemensamma,
ändliga resurser. Vad händer om hela världens befolkning i rättvisans och demokratins namn får tillgång
till samma höga, materiella standard som vi har i västvärlden? Skulle Moder Jord tåla detta? Denna till-
växthämmande undran talar ju emot företagarandans krav på expansion, ökad omsättning
och vinstutveckling.
Vad är att föredra:
Sitta på toppen av den globala sophögen och begrunda siffrorna på miljonkontot, eller med tomma fickor
förväntansfullt observera ett guppande flöte på skogstjärnens glittrande silverblänk?
Mänskligheten själv är nog sin egen stora riskfaktor.
Trots denna faktor, sköra trådar och nyckfulla framtida omständigheter, hoppas jag att folk i Målerås
den 1 augusti 2090 skall kunna fira brukets tvåhundraårsjubileum.*

Ny kraft i Målerås. Exportchefen Lars Ohlsson på Frankfurt-mässan 1996. Foto: Lars-Göran Johansson.

Mats Jonasson är visserligen sund, frisk och kry. Men förmodligen kan han själv inte vara med på detta jubileum.

Mats begriper naturligtvis att han själv inte kan hålla på i all evighet. Han begriper naturligtvis också att glasbruket i Målerås – liksom alla andra glasbruk på jordklotet – i allra högsta grad är beroende av kreativa medarbetare. Därför letar han efter unga krafter.

Nya formgivare i Målerås måste lära sig de speciella möjligheter, som finns i just detta glasbruk.

– Som det känns i dag skall vi inte blåsa servisglas här, säger Mats. Vi skall inte göra något, som andra kan göra bättre!

En ny kraft inom glasbrukets produktutveckling behöver emellertid inte fortsätta med att göra reliefer.

– Vi letar med ljus och lykta efter profilskapande innovatörer, berättar Mats. Någon eller några som har förmågan att hitta rätt i framtiden. Som kan spåra framtidens efterfrågade föremål.

– Vi lever i en värld i snabb förändring.

Att hitta dessa innovativa personer är naturligtvis inte lätt.

– Om det vore så, skulle många problem vara lösta, säger Mats.

Onyttigt föremål från Målerås. Kungsfiskare. Foto: Per-Olof Pettersson.

På glasbruket i Målerås tillverkas inte många nyttoföremål. Lite skålar och vaser visserligen, men mest är det glasreliefer. Och ingen människa i världen är ju i skriande behov av en glasrelief för överlevnadens skull.

– Vad skönt att det finns så mycket som jag inte behöver!
Orden lär ha yttrats av Sokrates på promenad genom Atens basarer.

Men i Målerås satsar man alltså på dessa onyttiga föremål. Där vet man – precis som Mats själv påpekade tidigare – att även sinnena behöver stimulans. Att enbart funktionalism,

rationell fyrkantighet och spikrakt utstakade vägar skulle göra livet tråkigt.

– Att inte behöva ett föremål är en sak, förklarar Mats. Att inte vilja ha det, är en annan!

Vad människan vill ha i det längre, framtida perspektivet är svårt att förutsäga.
– Målerås glasbruk har funnits i mer än hundra år, säger Mats. För oss är det en lång tidsrymd med en enorm teknisk utveckling.

Mats funderar ofta över både det förgångna och framtiden.
Här några tankar från Gråstensmon:

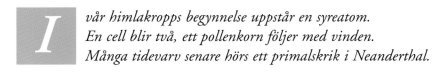

I vår himlakropps begynnelse uppstår en syreatom.
En cell blir två, ett pollenkorn följer med vinden.
Många tidevarv senare hörs ett primalskrik i Neanderthal.

Bakom pannbenets sköld växer biologisk intelligens.

Arkimedes cirklar rubbas vid Syrakusa.

Tre vise män ser en stjärna över Betlehem,
vår planet är fortfarande platt.

Solen kretsar kring jorden. När Kopernikus funderat,
är motsatsen bevisad.

William Shakespeare vässar sin penna, stråkar
tolkar Vivaldi.

Adolf Hitler höjer en hand i Berlin.

Guernicas öde inspirerar Pablo Picasso.

1969 beträder Neil Armstrong månens yta.

När Stella Polaris tindrar i februarinatten
siktar ett teleskop Cassiopeia, denna enorma
utblick är försumbar i universums oändlighet.

Varje vår tränger ändå vitsippan upp genom
fjolårsgräsets torra bädd.

Vem förklarar varför?

Foto: Mats Jonasson.

Våra vetenskapsmän ger oss kunskaper, men de kan inte förklara allt. Vi vet att Charles Darwin har punkterat påvens auktoritet. Dessutom besvärar naturlagar och mänsklig logik våra teologer. I Guds namn har även mycken ondska åstadkommits. Trots detta tyder mycket på att det existerar intelligens, som är högre än vår.
En utblick i universum dämpar mänskligt högmod.
Myror behärskar stacken, människor behärskar Jorden.
Även bortom miljarder av ljusår öppnas oändliga perspektiv.

På en liten planet någonstans i universum lyser en himmel blå.
Solstrålar ger ett embryo liv, en soloflöjt väcker Claude Debussy,
i mästerlig impressionism föds Syrinx. Grå celler konstaterar:
Tiden har inget slut.

Heliga skrifter är skrivna av människohänder och bör kanske läsas med skeptikerns ögon. Men ateistens retorik övertygar ändå inte mig om att slumpen åstadkommit allt som finns i vår värld. Enbart en Big Bang i tidernas morgon är nog inte tillräcklig för att senare föda tankar i biologisk substans.

Ulla Karlsson är hedersprost i Hälleberga församling. Hon var med på den lilla planeten någonstans i universum, när glasbruket i Målerås 1990 firade sitt hundraårsjubileum. Så här sade hon i det vackra vädret på planen utanför hyttan:
– Samhället Målerås kan liknas vid en igelkott. Det är en uppstickare, som alltid är på väg någonstans. Och det är svårt att ge sig på en igelkott i onda avsikter. Den anfaller inte, men reser i orostider alla taggarna i vädret.

Samhällsföreningen i Målerås har numera en igelkott som symbol och "stadsvapen".

Den är naturligtvis ritad av Mats Jonasson.